# FINI
# LE MAL DE DOS!

**DAVID IMRIE**
**avec la collaboration**
**de Colleen Dimson**

# Fini le mal de dos!

Le guide pratique pour un dos sain,
exempt de toute douleur.
Quatre-vingts millions de
Nord-Américains souffrent
de maux de dos.
Ne soyez pas du nombre.

**Traduit de l'anglais par Jean Chapdelaine Gagnon**

**Éditions du Trécarré**

Couverture: maquette de Martin Dufour

Composition et mise en pages: Helvetigraf, Québec

ISBN 2-89249-130-4

Dépôts légaux: 4e trimestre 1985
Bibliothèque nationale du Québec
Bibliothèque nationale du Canada



Imprimé sur les presses de l'imprimerie Marquis, à Montmagny, Canada,
le 24 octobre 1985.


2973, rue Sartelon, Saint-Laurent, Québec H4R 1E6

# TABLE DES MATIÈRES

À la mémoire du docteur Wilf Auger
dont la simplicité n'avait rien d'affecté

# 1

# LE MAL DE DOS, CE FLÉAU DU XX$^{e}$ SIÈCLE

Je reçois chaque jour à mon cabinet des patients qui se plaignent de maux de dos et je pose à tous la même question:

— À votre avis, quelle en est la cause?

Parmi leurs réponses, certaines ne vous semblent-elles pas familières?

— C'est tout naturel puisque je vieillis.

— J'ai travaillé trop fort, il fallait bien que j'en paie le prix d'une manière ou d'une autre: dans mon cas, ça été le dos.

— J'ai un disque qui s'est déplacé.

— Je m'y suis mal pris pour soulever un paquet et je me suis blessé au dos.

— Dans ma famille, on a tous le dos fragile.

— J'ai mal au dos parce que mon matelas est trop mou.

Aucun de mes patients ne m'a jamais répondu:

— J'ai mal au dos parce que mes muscles dorsaux ne sont pas assez forts et parce que je me tiens mal.

Jamais, faut-il le préciser, je ne me suis vraiment attendu à ce que l'un d'entre eux me donne cette réponse. Très peu de gens sont adéquatement instruits de la physiologie du dos et on ne leur a pas expliqué en quoi des muscles fermes et un bon maintien peuvent aider à prévenir les maux de dos.

En écrivant ce livre, j'avais en tête quatre objectifs principaux: (1) exposer comment un mauvais maintien et des muscles affaiblis sont en partie responsables des maux lombaires si répandus; (2)

suggérer un moyen par lequel vous pourrez évaluer l'état de votre dos; (3) vous proposer des exercices simples qui vous aideront à vous prémunir contre les maux de dos jusqu'à la fin de vos jours; (4) vous apprendre à mieux vous servir de votre dos dans l'accomplissement de vos tâches quotidiennes.

Il fut un temps où la cause des maux de dos me paraissait aussi mystérieuse qu'à mes patients. Par bonheur, j'ai eu la chance d'étudier de près la cause de ce mal chez des milliers de patients venus me consulter, ce qui a peu à peu modifié mon point de vue sur cette question. J'aimerais vous raconter comment cela s'est passé et pourquoi je dirige aujourd'hui le Centre de soins du dos, à Toronto.

En tant que médecin, je me considère dans une situation plutôt inusitée: je reçois des patients en pleine santé tout autant que des malades. Vous vous dites sans doute: «Pas si vite! N'est-ce pas le cas de tous les médecins?» Non, pas vraiment. Rappelez-vous votre dernière visite chez votre médecin. Si l'on ne tient pas compte de l'examen de routine auquel vous vous soumettez régulièrement, vous y étiez sans doute parce que vous ne vous sentiez pas bien. Le médecin de famille ne voit généralement ses patients que quand quelque chose ne tourne pas rond. Tout comme le spécialiste, d'ailleurs. À quand remonte votre dernière visite chez un spécialiste? Vous sentiez-vous alors en pleine forme ou le consultiez-vous pour un problème de santé? Je parierais que vous ne vous sentiez pas bien et que votre médecin de famille avait demandé à ce spécialiste de vous voir en consultation.

Parce que j'ai deux cordes à mon arc — je pratique à la fois la médecine générale et la médecine du travail — mon expérience est unique. Chaque année, je donne plusieurs milliers de consultations à mon cabinet de médecine du travail et la majorité des gens que j'y reçois se plaignent rarement de malaises. Ces examens ont pour but d'évaluer l'aptitude au travail des employés en question et leur capacité de récupération s'ils devaient subir une blessure ou souffrir d'une maladie. Il s'agit là d'examens destinés davantage à évaluer l'état de santé qu'à déceler des maladies. Le reste du temps, à mon cabinet de pratique générale, je reçois des patients qui sont malades et perclus de douleur, qui se plaignent souvent du mauvais état de leur dos puisque ce mal est maintenant si répandu dans notre société. Je puis pourtant vous affirmer que, dans ma pratique de la médecine générale, jamais un patient ne m'a demandé d'examiner son dos à moins qu'il ne lui cause des ennuis. Autrement, tous assument que leur dos est en bonne condition. Et pourtant ils pourraient avoir tort. En fait, c'est souvent le cas. Quand on sait à quel point les problèmes dorsaux sont généralisés en Amérique du Nord, on peut facilement prédire, selon toute vraisemblance, qu'un jour viendra bientôt où ces patients se retrouveront dans mon cabinet pour me demander de soigner leur dos endolori.

Frais émoulu de la faculté de médecine, j'ai eu la chance de devenir l'associé du docteur Wilf Auger, qui avait ouvert un cabinet de médecine du travail dans les années 1940. Je ne mesurais toutefois pas à l'époque l'importance que sa conception de la pratique de la médecine aurait sur moi par la suite. En vérité, je détestais ce travail. À mon sens, la médecine du travail était une perte de temps, elle n'était d'aucune utilité, et je décidai que, dès que mon cabinet de médecine générale serait florissant, je délaisserais la médecine du travail.

Entre-temps, en pratiquant aux côtés du docteur Auger, je commençai à ressentir une fascination pour cet homme qui me révélait un aspect de la médecine que ma formation universitaire avait négligé. Le docteur Auger croyait qu'un bon médecin devait toujours appliquer, lorsque c'était possible, les remèdes les plus simples.

— David, me répétait-il souvent, il arrive que tu oublies certains principes de base quand tu traites tes patients. Prenons, à titre d'exemple, le cas de cet homme qui vient de sortir de ton cabinet avec une coupure profonde au doigt. Tu lui as fait quelques points de suture mais, si je ne te l'avais pas conseillé, tu ne lui aurais pas mis d'attelle pour mieux protéger son doigt et l'immobiliser. Je parie que tu n'avais pas songé que, sans attelle, il aurait continué à se servir de son doigt plus qu'il n'aurait dû et que la blessure aurait mis plus de temps à guérir.

La méthode de travail si simple du docteur Auger donnait parfois des résultats impressionnants. En voici un exemple: même si je m'en servais déjà depuis des années, je ne savais pas que la fameuse pompe Auger était de son invention. Il s'agit d'un tube de plastique on ne peut plus banal qu'on utilise dans le monde entier pour aspirer de la salive dans la gorge des enfants et pouvoir ensuite procéder à des cultures. En raison de l'influence du docteur Auger à un moment crucial de mon existence, j'ai donc commencé à repenser ma pratique et à aborder certains problèmes d'ordre médical l'esprit plus ouvert à divers champs d'investigation. Il va de soi que certaines maladies appellent un traitement bien défini: c'est le cas de l'appendicite où il faut procéder à l'ablation, des membres fracturés qu'il faut immobiliser, des excroissances et des tumeurs suspectes qu'il faut exciser. Toutefois, de nombreux autres problèmes — de l'ordre des maux de tête et de dos, par exemple — n'ont pas été clairement cernés, loin de là, et souvent d'ailleurs la médecine traditionnelle reste impuissante à les expliquer et à les traiter.

Mon changement d'attitude me permit de constater que la médecine du travail m'offrait un vaste champ d'investigation. J'y étais venu en 1969. À cette époque, de nombreuses industries licenciaient des employés «embarrassants». Un alcoolique qui ne faisait pas son travail était tout simplement mis à la porte. Mais les employés obtinrent peu à peu une certaine sécurité d'emploi grâce à de meilleures conventions collectives et aux législations; dorénavant les compagnies ne pouvaient plus aussi aisément que par le passé licencier leurs employés et elles se sentaient coincées. Il leur était désormais plus difficile de remercier des employés et, par ailleurs, elles ne pouvaient se permettre une baisse de productivité. Depuis lors, on a donc plutôt développé des programmes d'assistance aux employés pour venir en aide à des travailleurs aux prises avec un problème d'alcoolisme ou tout autre problème personnel qui réduit leur productivité.

Si l'alcoolisme, les problèmes d'origine sociale et mentale coûtent des sommes fabuleuses à l'industrie sous la forme d'heures du travail perdues, les maux de dos restent le plus grave de tous les fléaux. Il en coûte chaque année des milliards de dollars en Amérique du Nord. En Ontario, la province canadienne où j'exerce ma profession, aux seuls titres de frais médicaux et d'indemnités versées aux employés qui doivent s'absenter du travail en raison de problèmes dorsaux, on dépense chaque année cent vingt-cinq millions de dollars.

Dans l'exercice de ma profession, j'ai été forcé de constater ce gaspillage éhonté de ressources humaines. Si l'industrie s'inquiétait des sommes ainsi englouties, j'étais quant à moi consterné par cette véritable tragédie humaine. Les malades concernés, d'honnêtes travailleurs, ne veulent causer de problèmes à personne et malgré cela, en raison de maux de dos, ils sont dans l'incapacité d'accomplir les tâches qui leur sont assignées. Après des années de douleurs récurrentes au dos, ils mettent souvent leurs derniers espoirs dans une opération dont ils croient qu'elle va les guérir, mais à leur grand désarroi ils apprennent finalement que leur problème n'est pas assez grave pour qu'on recoure à un traitement aussi radical. Et souvent, en pareilles circonstances, leur employeur ne verra d'autre solution que de leur confier de nouvelles tâches.

Prenons le cas de Joe S., un fondeur de 45 ans qui souffrait de maux de dos récurrents. La compagnie qui l'employait le muta finalement à l'entrepôt où il n'aurait pas à déployer autant d'efforts physiques. Dès ce moment, Joe fut littéralement pris de panique et commença à se sentir inutile. Travailleur spécialisé, il en était pourtant réduit à exécuter des travaux normalement réservés à des gens plus âgés et en mauvaise santé. Petit à petit, Joe s'interdit aussi tous les petits plaisirs qui rendent la vie agréable. Il cessa de pratiquer des sports avec des amis; il avait peur de se chamailler avec ses enfants; il laissa à sa femme le soin de tondre la pelouse et de sortir les ordures ménagères. Jusqu'à sa vie sexuelle qui en subit les contrecoups parce que Joe s'inquiétait constamment de son dos. Même si tout allait déjà très mal pour lui, Joe savait pertinemment que sa situation ne pouvait que s'aggraver. Si son employeur décidait de procéder à une évaluation de sa productivité, Joe serait peut-être invité à prendre une retraite anticipée ou à offrir sa démission puisqu'on considérait qu'il faisait double emploi.

Dans ma pratique de la médecine du travail, je constatai que Joe n'était pas le seul ouvrier dans cette situation, loin de là. Je me sentais terriblement inutile, car j'avais trop peu à offrir aux travailleurs souffrant de maux de dos si ce n'est leur conseiller le repos et soulager leurs douleurs. *Je me devais* de trouver mieux. Après plusieurs années de travail, je suis parvenu à élaborer une nouvelle thérapeutique, mais uniquement parce que j'avais modifié ma conception de la physiologie du dos. Le principal objectif de ce livre est d'ailleurs de modifier les idées préconçues que vous entretenez au sujet du dos. En gardant cet objectif à l'esprit, prenez connaissance des cas que je vous expose ci-après. Je pense qu'ils devraient piquer la curiosité de tous ceux qui ont déjà souffert de maux de dos.

## LES BAGUETTES JAPONAISES

***(Le cas de Mike N.)***

Le 8 mars 1941, alors que je combattais à Java dans les rangs de l'armée britannique, j'ai été fait prisonnier par les Japonais et déporté au camp de Boei Glodok à Batavia, appelée aujourd'hui Djakarta. Dans ce camp, les conditions de vie étaient lamentables. Nous dormions à même des planchers de béton dans des cellules infestées de cancrelats qui mesuraient jusqu'à huit centimètres de long. Pour toute nourriture, on ne nous donnait que trois tasses de riz pâteux par jour et il nous fallait pourtant travailler dur à la construction de pistes pour l'aéroport.

Au camp, les hommes mouraient comme des mouches, de malnutrition et de maladies tropicales contre lesquelles on ne leur administrait aucun médicament. Je me portai volontaire pour joindre les rangs d'une équipe de travailleurs qui allaient être déportés au Japon, dans l'espoir que j'aurais peut-être de meilleures chances de survie si je me soustrayais à la dysenterie et aux fièvres tropicales qui décimaient les rangs de mes compatriotes.

Le voyage à bord de la *Dia Nichi Maru* fut un véritable cauchemar. Nous étions entassés dans la cale du navire où nous avions tout juste assez d'espace pour nous coucher ou pour rester debout sur place. Une fois par jour, on nous accordait une heure de plein air sur le pont. La dysenterie et les maladies de toutes sortes sévissaient; chaque jour, des hommes mouraient et leur corps était jeté à mer. Nous fîmes escale à Singapour; on nous transféra dans un autre navire où les conditions de vie étaient tout aussi inhumaines. Après avoir survécu à un typhon en pleine mer qui, nous l'avions cru, allait nous faire couler, nous débarquâmes enfin à Hakodate, dans le nord du Japon.

Vêtus seulement d'un short kaki, malgré le froid qui nous faisait horriblement souffrir, nous avons été forcés de nous rendre à pied au camp de Biaba. Tous les bâtiments étaient en bois; à chacun fut assigné un lit ou plus exactement une natte de paille longue d'un mètre soixante-dix et large d'un mètre environ. La nourriture était infecte. Notre ration quotidienne se composait de trois tasses de riz blanc et d'un bol de soupe agrémentée de poisson ou parfois — attention délicate! — de soupe au raifort.

La main-d'œuvre y était divisée en «équipe des prisonniers de droit commun» et en «équipe des prisonniers de guerre». L'équipe des détenus s'affairait au chantier de construction à des tâches d'entretien. L'équipe des prisonniers de guerre, dont je faisais partie, chargeait et déchargeait des navires et des péniches dans le port. Nous transportions à dos d'homme des sacs de ciment et de sel qui pesaient jusqu'à soixante kilos et nous travaillions dix heures par jour, sept jours par semaine; nous ne nous arrêtions que pour le repas du midi (si l'on peut vraiment parler de repas); on ne nous concédait qu'un dimanche de liberté et de repos par mois, mais il nous fallait l'employer à nettoyer le camp.

Au camp, chaque homme présentait les symptômes évidents d'une maladie ou d'une autre. La septicémie était largement répandue et tous souffraient de béribéri puisque notre régime alimentaire était trop pauvre en vitamines. Le béribéri se manifestait de deux façons bien différentes: le type dont je souffrais et que nous qualifiions de béribéri «sec» attaquait le système nerveux ; il provoquait des douleurs atroces aux pieds et aux jambes qui étaient agitées de convulsions à intervalles réguliers. Tout mouvement était un véritable supplice. L'autre type de béribéri était moins souffrant, mais plus pernicieux. Le corps se gonflait d'humeurs à un point tel que le malade finissait par mourir de suffocation. J'étais aussi atteint de septicémie. Cette maladie se manifestait aussi de différentes façons: certains hommes avaient le corps couvert d'énormes furoncles; chez d'autres, les mains enflaient au point d'atteindre trois fois leur dimension normale et elles étaient gonflées de pus. J'étais couvert de cloques septiques depuis le bout des doigts jusqu'au haut des bras.

Après deux ans de travaux forcés comme prisonnier de guerre, je ne pesais plus que cinquante kilos et je déchargeais maintenant des caisses de poisson qui faisaient environ soixante-dix kilos. Deux Japonais soulevaient la caisse qu'ils déposaient sur vos épaules et vous parcouriez ainsi chargé la distance qui séparait la péniche de la glacière, soit environ cinquante mètres. Après trois ans de camp, je ne pesais plus que quarante-cinq kilos. Mon travail consistait désormais à charger des péniches destinées au transport du charbon, arrimées, dans la baie. Une équipe constituée de dix hommes déchargeait le minerai des wagons de chemin de fer, le déposait dans des paniers fixés aux extrémités d'une tige de bambou et le transportait jusqu'au bateau où elle le déchargeait dans la cale. Pour ce faire, il fallait se déplacer sur des madriers de bois qui s'entrecroisaient au-dessus de l'eau. J'étais impressionné par la force et l'agilité dont faisait preuve l'équipe de travail constituée de détenus japonais. Tous sans exception, qu'ils aient 20 ou 60 ans, étaient en parfaite condition physique. Peu importe leur constitution, ils étaient tous très musculeux et ils n'avaient pas un gramme de graisse sur tout le corps. J'étais aussi impressionné par l'incroyable faculté d'adaptation des prisonniers: nous poursuivions notre labeur jusqu'à épuisement total.

Au cours des trois années et demie que dura ma captivité, mon poids passa de soixante-quinze à quarante-cinq kilos, mais je survécus en dépit du fait que j'avais contracté la dysenterie, le béribéri, une broncho-pneumonie, une mastoïdite et une septicémie. Je souffris aussi d'inflammation de l'œil, d'une grave engelure et de blessures infligées par des coups assenés avec la crosse d'un fusil. Je n'ai pourtant jamais souffert du moindre mal de dos pendant cette longue période de captivité. Et je ne me souviens pas d'ailleurs d'avoir jamais entendu un seul prisonnier se plaindre d'un tel problème pendant les années que nous fûmes forcés d'accomplir de si lourds travaux.

Une constatation s'imposa toutefois pendant ma captivité: les jeunes hommes — surtout ceux qui venaient d'entamer la vingtaine — semblaient en meilleure condition physique que ceux qui n'étaient leurs aînés que de quelques années. Je constatai aussi que plus un prisonnier était gros au début de cette pénible captivité, plus il se portait mal par la suite. J'étais fort et en bonne santé, assez musclé quand on me fit prisonnier et je suis convaincu que cela m'a considérablement servi. Bien entendu, la volonté joue aussi un rôle primordial quand il s'agit d'assurer sa survie.

## LA CUILLER DORÉE

***(Le cas de David B.)***

La première fois que je ressentis une vive douleur au dos, j'étais allongé sur une plage à Marseille. Mes parents avaient décidé de me payer un voyage en Europe pour me récompenser des excellents résultats que j'avais obtenus au collège. Comment cela pouvait-il m'arriver à moi? Ça me semblait le comble du ridicule que de souffrir d'un spasme musculaire au dos dès l'âge de 19 ans. Quand j'essayai de me relever, la douleur me força à me plier en deux et on dut m'aider à aller à l'hôtel où un médecin me prescrivit des médicaments. Je me retrouvai étendu sur le dos pendant trois jours, confiné dans ma chambre d'hôtel, à fixer le plafond et à ruminer mon passé.

Compte tenu de ce que la vie réserve à mes semblables, je me dis que je ne peux pas me plaindre, même si l'existence d'un fils de riche n'est pas toujours aussi merveilleuse qu'elle le semble, vue de l'extérieur. Qui ne choisirait pas d'être du nombre de ceux qui sont les mieux nantis, les mieux instruits, les mieux vêtus, s'il en avait la possibilité? Être à la hauteur des attentes de mon père n'était toutefois pas toujours facile. Après le collège où je m'adonnais aux activités sportives obligatoires comme le cricket, la courte paume et le tennis, mon père insista pour que je m'astreigne à une année d'internat dans un collège militaire.

— Ça fera de toi un homme, affirma-t-il.

J'y ai mis toute la bonne volonté possible, mais je ne me suis jamais fait à la vie qu'on nous y imposait. Pour une bonne raison d'ailleurs: je déteste ces attitudes militaires qu'on nous forçait d'adopter. Ça me semble ridicule et contre nature, sans compter que c'est épuisant.

Je fus soulagé d'entrer à l'université et je conserve d'ailleurs d'excellents souvenirs de ces années. J'avais opté pour le droit et jamais les longues heures d'études ne me rebutaient. Je pratiquais des sports pour me remettre des nombreuses heures passées à me taper toutes sortes de bouquins et je me croyais plutôt en forme. Vous pouvez vous imaginer à quel point je fus dérouté quand j'ai ressenti cette vive douleur au dos, dans ma voiture, au moment où je rentrais chez moi après une partie de football américain au cours de ma dernière année d'études universitaires. Comme la fois précédente, la douleur disparut assez rapidement après quelques jours de repos passés au lit.

La vie continua sans trop de problèmes. J'obtins mon diplôme à l'âge de 27 ans; je me joignis à une étude bien en vue et je fis la connaissance de Kate, celle qui allait devenir ma femme et qui ensoleille mes jours avec nos deux enfants. Je crois que Kate fut la première femme que j'aie courtisée et qui ait rapidement décelé que je souffrais d'un certains complexe d'infériorité. Elle me taquinait souvent à propos de mon allure débraillée. Il faut dire que je ne suis pas l'homme le mieux habillé du quartier; en fait, je crois qu'on pourrait même dire que je suis plutôt négligent quand il est question de vêtements. Je m'y suis arrêté un jour que Kate me reprochait mon air de «chien battu», comme elle disait, et il me vint à l'esprit que mon allure pouvait bien avoir quelque rapport avec les sentiments que j'éprouvais pour mon père. C'est un homme de grande taille, volontaire et autoritaire, du genre de ceux qu'aucun obstacle ne saurait arrêter. Je n'ai jamais aimé son attitude de dictateur avec ses employés. Je refusais de traiter les gens de cette manière et je présume que je ne voulais pas lui ressembler, même physiquement.

C'est après avoir eu 30 ans que je commençai à m'inquiéter de l'état de mon dos. J'avais remarqué que je souffrais souvent de raideurs, le matin ou après de longs trajets en voiture. Une rude journée passée en cour me causait bien des élancements et des malaises que j'attribuais à la tension nerveuse. Puis je souffris d'une crise aiguë qui me força au repos pendant près d'un mois. Je venais à peine d'avoir 35 ans. Je jouais parfois à la courte paume et c'est au cours d'une partie que cela se produisit. Ce fut un véritable martyre. On diagnostiqua des lombalgies causées par un spasme musculaire. Je dois avouer que j'étais pris de panique. Je me sentais comme un vieillard constamment alité et une éternité me sembla s'écouler avant que je ne retrouve l'usage de mon dos.

Après cette dernière crise, je ne pratiquais plus sans appréhension la courte paume, mais je me disais que, sans exercice pour réduire les effets de la tension nerveuse, je serais encore moins en forme. J'adore pratiquer le droit, mais je pense qu'il me faudra consacrer moins d'heures à mon travail. Je suis sûr que cela m'aidera parce que je suis convaincu que mes problèmes dorsaux sont causés par le surmenage.

## Pourquoi votre dos vous fait-il souffrir?

Les deux cas que je viens de vous relater ont sans nul doute soulevé quelques questions dans votre esprit. Sans doute s'agit-il des mêmes questions qui me vinrent peu à peu pendant que je m'adonnais à la médecine du travail et qui m'ont graduellement permis d'élaborer mon nouveau traitement de dos. Nous sommes ici en présence de deux jeunes hommes à peu près du même âge. L'un connaît des conditions de vie insupportables, souffre de malnutrition et on l'oblige malgré tout à travailler comme un cheval de trait pendant plus de trois ans: il lui faut soulever des paquets d'un poids tel qu'on ne songerait même pas à les déplacer à dos d'homme dans nos usines nord-américaines. Et pourtant, il ne se plaint pas une seule fois de maux de dos. L'autre jeune homme connaît des conditions de vie exceptionnellement favorables — en fait, lorsque survient sa première crise de lombalgies, il est en vacances — et pourtant il souffre d'un mal de dos récurrent qui commence à lui empoisonner l'existence. Les maux de dos du jeune avocat sont-ils vraiment causés par le surmenage comme il se plaît à le croire? Si c'est le cas, alors comment expliquer que sa première crise soit survenue tandis qu'il se prélassait en vacances? Il semble avoir fait peu de cas des avertissements que lui a servis son dos dans sa jeunesse. Il a eu tort. C'étaient là pourtant des signes évidents qu'il allait plus tard connaître de plus graves problèmes. Les crises de lombalgies signalent que le dos n'est pas en bonne condition et qu'il faut le renforcer. Je reviendrai plus tard sur ces premiers signes avant-coureurs. Pour ce qui est de la question du surmenage, il ne fait aucun doute que le travail d'un avocat puisse en provoquer, mais il est indéniable que les prisonniers de guerre subissaient des conditions de vie incomparablement plus propres à provoquer de plus grandes tensions qu'aucun de nous n'en connaîtra de sa vie.

Il leur fallait en effet lutter chaque jour pour assurer leur équilibre tant physique que mental. Pourquoi donc ne souffraient-ils pas de maux de dos? Les douleurs de l'avocat peuvent-elles être la conséquence d'un surcroît de travail? Cette question semble oiseuse quand on considère le travail qu'on exigeait chaque jour des prisonniers de guerre.

Le lit de l'avocat serait-il trop dur ou trop mou? Le siège de son automobile serait-il inadéquatement ajusté? Il se plaint en effet de raideurs au dos le matin et après de longues promenades en voiture. Revenons encore une fois au camp de prisonniers. Les hommes y dormaient sur des nattes de paille et à même le plancher, pendant des années, et ils souffraient de terribles maladies. Pourtant, aucun d'eux ne s'est jamais plaint de maux de dos.

Le mal de dos aurait-il alors quelque rapport avec l'âge, serait-il héréditaire ou tout bêtement le fait de la malchance? La principale cause de ce mal serait-elle si anodine que peu de victimes de douleurs au dos, y compris l'avocat, aient songé à la considérer? Le mal de dos de l'avocat, comme le vôtre, ne pourrait-il être causé par un *mauvais maintien* et des *muscles affaiblis?*

## Les bonnes questions

Ce n'est qu'après avoir commencé à me poser, moi aussi, les bonnes questions dans ma pratique de la médecine que j'ai pu mettre au point une méthode pour prévenir les maux de dos courants. Ma première intuition me vint un jour que j'examinais un patient qui se présentait à mon cabinet, en l'espace de quelques mois à peine, pour se plaindre d'une crise aiguë de lombalgies. Quelques instants plus tôt, j'avais complété l'examen de routine d'une femme enceinte qui se plaignait aussi de maux de dos et, pendant que je me penchais sur le problème de mon dernier patient, il me vint une idée apparemment saugrenue: cet homme avait tout aussi l'air de porter un enfant que la femme qui venait de quitter mon cabinet! Mais la femme finirait bien par perdre son ventre et, en exécutant les exercices appropriés pour raffermir ses muscles, elle retrouverait sa ligne. L'homme, quant à lui, n'allait pas perdre soudainement ce pneu qu'il portait à l'abdomen, à moins qu'il ne prenne des mesures radicales. Voilà pourquoi j'ai commencé à mettre à la diète mes patients trop potelés qui souffraient de maux de dos. Cette mesure en aida plusieurs, mais ne réussissait pas à tous; j'en déduisis que, si j'étais sur la bonne voie, je n'avais pas trouvé la solution complète.

Vers la même époque, Janet, ma sœur, physiothérapeute qui professait alors à Vancouver, fit un séjour chez moi pendant les vacances d'été et nous avons passé ensemble quelque temps à la maison de campagne de nos parents.

— Jan, lui dis-je un soir, j'éprouve de grandes difficultés à aider mes patients qui souffrent de maux de dos. C'est pourtant le plus grave problème qui assaille les travailleurs d'industrie parce qu'il provoque tant de frustration et de méfiance.

Elle parut intriguée. Elle avait participé à un projet de recherches sur le traitement des maux de dos. Il fut décidé qu'elle reviendrait vivre à Toronto et qu'elle travaillerait à mes côtés, dans ma clinique. Nous verrions ce que nous pourrions accomplir ensemble pour mieux soigner le dos des travailleurs d'industrie.

Au cours des premières années qui suivirent, nous eûmes de plus en plus de succès grâce aux exercices que Jan prescrivait dans notre clinique aux travailleurs qui se plaignaient de lombalgies. Le plus réconfortant, c'était de constater le changement d'attitude des travailleurs. Dès qu'ils avaient compris comment les exercices renforceraient leurs muscles dorsaux et qu'en seraient réduits pour la colonne vertébrale les risques de dépérissement et de lésions, ils mettaient en pratique les exercices de routine qu'on leur demandait d'exécuter chaque jour et qui ne leur prenaient que quelques minutes de leur temps. Au lieu d'être forcés au repos tous les trois ou quatre mois parce qu'une nouvelle crise les avait terrassés, ces travailleurs connaisaient maintenant de plus longues périodes de rémission, qui duraient des années plutôt que des mois. Ils entrevoyaient l'existence d'un œil plus optimiste dès qu'ils prenaient conscience de cette méthode facile à mettre en pratique qui les aidait à se libérer des maux de dos ou à en réduire les conséquences en cas de rechute.

J'en vins ensuite à me demander si les gens ne pourraient pas adopter notre programme d'exercices *avant* même de souffrir d'un mal de dos. Pourquoi attendre en effet qu'ils aient subi une crise et se sentent incommodés? Jan et moi avons alors entrepris l'étude de sept cents à mille cas par année et nous avons ainsi appris à établir avec précision si le dos de telle ou telle personne était en parfaite condition, moyennement en santé ou affaibli.

Nous avons alors développé ce que j'appelle la Méthode d'évaluation de l'état de santé du dos, un instrument de mesure que je vous expose au chapitre 6. Cette méthode vous permettra de déterminer l'état de santé de votre dos et ce que vous pouvez faire pour l'améliorer. Si vous êtes l'un de ces millions de Nord-Américains qui souffrent de lombalgies communes, il est presque assuré que vous souffrirez un jour ou l'autre d'un grave problème dorsal à moins que vous ne preniez dès maintenant des mesures pour renforcer votre dos. Les exercices que nous recommandons sont simples, ils ne causent pas de douleur et, *surtout,* ils sont efficaces. Peu importe quel est votre problème dorsal, ce livre vous apprendra comment vous défendre contre les maux de dos et mener une existence plus saine et plus sereine.

# 2

# LE DOS, VICTIME DE PRÉJUGÉS TENACES

«Nous ne voyons que ce qu'on nous a appris à voir», disait Michel-Ange. Cette affirmation est particulièrement juste quand il est question de maux de dos. La plupart des professionnels — et cela est tout naturel — abordent les maux de dos en n'ayant à l'esprit que l'unique point de vue de leur spécialité. Le professionnel de la sécurité au travail considère le mal de dos comme le résultat d'une négligence: pour lui, par exemple, un travailleur a perdu pied et s'est blessé au dos parce qu'il y avait une flaque d'huile sur le plancher de l'usine. Le professionnel de la sécurité, ou ergonome, aborde le mal de dos en cherchant à prouver l'existence de contraintes exceptionnelles exercées sur l'organisme par un équipement inadéquatement conçu, en milieu de travail. Pour le médecin de famille, le mal de dos est avant tout une source de douleurs; soulager la douleur équivaut pour lui à régler le problème. Le chirurgien orthopédiste concentre toute son attention sur les os et les disques intervertébraux; l'ostéopathe et le chiropraticien, sur la déviation de la colonne ou une articulation subluxée, problèmes auxquels ils remédient par la manipulation; le psychiatre, sur des conversions hystériques en maux de dos.

La plupart des gens ne consacrent jamais une seconde d'attention à leur dos tant qu'il ne les fait pas souffrir. Contrairement aux automobiles, les humains ne sont pas dotés, à leur arrivée en ce monde, d'un manuel d'entretien et on ne leur a pas appris non plus comment fonctionne le dos et pourquoi il réagit de telle ou telle façon. Voilà qui explique pourquoi l'inquiétude des patients grandit lorsqu'ils découvrent qu'on diagnostique la cause d'un mal de dos en procédant par élimination: le diagnostic s'établit davantage à partir *de ce qui ne peut causer le mal* que de ce qui en est la source réelle. Devant d'aussi nombreuses explications professionnelles différentes à son mal de dos, le patient passe souvent de l'inquiétude à la véritable angoisse à mesure qu'il prend conscience que personne ne sait avec certitude ce qui ne tourne pas rond.

Dans les pages qui suivent, j'essaierai de dissiper les préjugés les plus répandus qu'entretiennent les gens au sujet de leur dos. À propos, connaissez-*vous* bien votre propre dos?

## Le tour du monde à dos d'homme

*Vrai ou faux?* À un moment ou l'autre de leur existence, trois personnes sur quatre souffrent de mal de dos?

On brandit souvent cette statistique pour souligner l'importance de ce problème dans nos sociétés occidentales et il ne fait aucun doute que les statistiques maintes fois citées en Amérique du Nord révèlent une situation troublante:

> Chaque jour, en Amérique du Nord, 6,8 millions de gens doivent garder le lit à cause d'un mal de dos. Et 1,5 million de nouveaux cas sont rapportés chaque mois.
> Chaque année, plus de 200 000 Nord-Américains subissent une intervention chirurgicale au dos. Chaque année, en Amérique du Nord, 200 millions de jours-travail sont perdus en raison de problèmes dorsaux.
> Les Nord-Américains dépensent annuellement six milliards de dollars pour des examens et des traitements prescrits par un large éventail de spécialistes du dos, y compris des orthopédistes, des ostéopathes, des physiothérapeutes, des chiropraticiens et des guérisseurs de tout acabit. Parmi les 75 millions de victimes de maux de dos aux États-Unis, 5 millions souffrent d'incapacité partielle et 2 millions sont totalement inaptes au travail. On estime que quatre Américains sur cinq devront un jour s'aliter en raison de maux de dos.

Les heures de travail perdues pour dispenser les traitements nécessaires aux dos des malades coûtent annuellement à l'industrie nord-américaine la somme d'environ 15 milliards de dollars.

Ces statistiques ne sont-elles pas atterrantes? Y figureriez-vous, vous et votre dos? Ne vous en faites pas plus qu'il ne faut; quand vous aurez terminé la lecture de ce livre, vous aurez appris un moyen d'éviter et de combattre les maux de dos et vous pourrez vous moquer des statistiques pour le reste de vos jours.

Pour l'heure, vous vous dites sans doute que l'énoncé qui ouvre cette section de chapitre est juste et il est vrai que trois personnes sur quatre souffriront de maux de dos au cours de leur existence. Mais cette affirmation est en partie trompeuse; en fait, elle est même fausse parce qu'elle ne tient aucun compte des habitants d'autres parties du monde. Ces gens souffrent-ils autant que les Nord-Américains de maux de dos?

Il y a de cela quelques années, j'étudiais la prévalence des maladies cardiaques dans différents pays et cultures; ce faisant, j'eus envie de vérifier si la prévalence des maladies du dos était aussi élevée dans les pays en voie de développement qu'en Amérique du Nord. J'entrepris d'interroger des médecins à leur retour d'Afrique, de l'Inde et de la Malaisie. Ma question les étonna parce qu'ils avaient rarement vu des patients qui se plaignaient de maux de dos. Dans ces pays, on ne pratique guère d'intervention chirurgicale au dos. Quand, par la suite, j'interrogeai certains de mes patients qui avaient émigré de ces mêmes pays, ils corroborèrent les dires des médecins. Ils me confirmèrent eux aussi la rareté des maux de dos dans leur pays natal. Terriblement intrigué par ces réponses, j'adressai quelques lettres aux responsables du Bureau international du travail établi à Genève, un organisme qui se penche sur les conditions de travail et les problèmes de santé des travailleurs dans le monde entier. Je demandais que l'on m'adresse toutes les données existantes concernant la prévalence des maladies des vertèbres dans les populations de travailleurs des pays en voie de développement.

Le docteur A. David, consultant médical du Bureau de santé du travail, m'affirma dans une lettre qu'on ne disposait d'aucune donnée à ce sujet. «Nous n'avons pu établir si les maux de dos y sont vraiment peu fréquents en raison de différences notables en ce qui a trait aux tâches imposées aux travailleurs et aux positions dans lesquelles ils exécutent leur travail (dans un environnement moins mécanisé) ou si le problème a pu être exacerbé par des problèmes de santé plus graves comme les maladies infectieuses, parasitaires et la malnutrition», m'écrivait-il. Et il ajoutait qu'à son avis «la première hypothèse semblait la plus plausible». Des recherches ultérieures m'ont confirmé l'absence de données dont faisait état de docteur David.

Toutefois, je mis finalement la main sur un article intitulé «L'herniation du disque intervertébral lombaire chez les Africains», signé par Laurence F. Levy de la faculté de médecine de l'université de Salisbury, au Zimbabwe. Le docteur Levy écrivait que, «s'il est incontestable qu'une minorité d'Africains malades se rendent à l'hôpital, les douleurs au dos et aux jambes sont si désemparantes qu'il est raisonnable de présumer qu'un certain pourcentage de ceux qui sont affligés de ces maux tenteraient tout de même d'obtenir des soins». Reste que la prévalence des maux de dos au Zimbabwe est de loin plus élevée chez les Européens d'origine que chez les Africains. Selon le docteur Levy, il semble que «le syndrome de l'herniation des disques intervertébraux, tel qu'on le connaît dans sa manifestation classique, frappe rarement les Africains». Le docteur Levy trouve étonnant que «la prévalence soit si faible compte tenu du fait que les Africains exécutent presque tous des travaux physiques éreintants». Il conclut son analyse en affirmant «qu'il n'existe aucune différence anatomique qui saute aux yeux quand on compare la colonne vertébrale des deux races et que la prévalence de dégénérescence du rachis est la même dans les deux cas. Nous avons toutefois constaté que la mobilité de la colonne des Africains est de loin supérieure à celle des Européens d'origine. Nous pensons que cette plus grande mobilité de la colonne et le fait que les Africains occupent des emplois où il leur faut essentiellement exécuter des tâches manuelles peuvent contribuer à la faible prévalence de hernies discales relevée chez les Africains, mais aussi dans les populations autochtones d'autres pays en voie de développement à travers le monde.» Le docteur Levy présumait aussi que le travail manuel renforce plutôt qu'il n'affaiblit les muscles et les ligaments qui soutiennent le dos et qu'il réduit conséquemment les risques de hernie discale.

Ainsi que vous le voyez, le mal de dos ne frappe pas trois personnes sur quatre dans le monde. Ce n'est qu'en Occident, où les sociétés sont hautement automatisées, que le mal de dos est si fréquent. Le mal de dos peut être qualifié de maladie hypocinétique, ce qui signifie que l'inactivité et un mode de vie sédentaire en sont les principaux responsables. Dans un monde de plus en plus automatisé où presque toutes les activités — déplacements, travail, loisirs — se pratiquent en position assise, le dos devient encore plus vulnérable aux accidents.

## À dos d'histoire

*Vrai ou faux?* À mesure que progresse l'automatisation en milieu de travail, les problèmes de dos ont tendance à s'atténuer.

Nous sommes tous conscients que la technologie, au XXe siècle, a facilité le travail des humains au point qu'en Amérique du Nord 75% des travailleurs exécutent leurs tâches en position assise. Non seulement sommes-nous assis au travail, mais nous nous assoyons le soir devant la télévision, nous nous assoyons dans nos voitures pour nous rendre au bureau ou pour des voyages d'affaires, nous nous assoyons dans des avions pour aller en vacances où, en raison de notre mauvaise condition physique et épuisés que nous sommes par tant d'heures passées en position assise, nous nous étendons sur la plage pour nous détendre.

Parce que le corps est une machine vivante conçue pour s'accommoder d'une constante activité, la vie sédentaire que nous menons est source de nouveaux problèmes physiques. À moins que nous remplacions par une activité soigneusement choisie l'activité physique qu'il nous fallait autrefois déployer au travail, nous ne pourrons rester vigoureux et sains. Hans Selye, le spécialiste canadien du *stress,* a écrit: «L'adaptation est la pierre de touche de tout organisme vivant.» L'homme doit s'adapter à l'ère technologique en gardant son corps sain et délié par des moyens autres que le travail.

En 1700, le docteur Bernadino Ramazzini, le père de la médecine du travail, écrivit un livre intitulé *De morbis artificiam* (*Les Maladies des travailleurs*). Dans ce texte capital, véritable synthèse de toutes les connaissances sur les maladies liées au travail jusqu'à la fin du XVIIe siècle, le docteur Ramazzini note des faits, détaille ses observations et tire ses conclusions sur les maladies qui touchaient alors les travailleurs de certaines professions. Ses descriptions de maladies qui frappaient alors les fermiers, les pêcheurs et les mineurs sont très détaillées et toujours valables, même à notre époque.

«La moisson de maladies récoltées par certains travailleurs, écrivait-il dans le langage imagé de son temps, en raison des métiers qu'ils exercent est diverse et nombreuse... J'ai imputé à certaines émotions violentes et encore mal définies ainsi qu'à des postures peu naturelles la responsabilité de l'évolution de certaines maladies graves dans la machine pour ainsi dire détraquée en l'absence de palliatifs naturels.»

Bien qu'il ait relié plusieurs types de maladies aux lourds travaux manuels, ce n'est que chez les travailleurs sédentaires que le docteur Ramazzini releva des problèmes de sciatique et de maux de dos. «Les tailleurs sont souvent victimes d'engourdissement des jambes, de claudication et de sciatique, poursuivait-il. En raison du métier qu'ils exercent, ils ont le dos courbé, deviennent bossus et gardent toujours la tête baissée, comme quelqu'un qui chercherait quelque chose tombé par terre. Telles sont les conséquences de leur vie sédentaire et de la position qu'ils adoptent quand ils s'assoient pour travailler toute la journée avec application, dans les échoppes où ils cousent.»

«Tous les travailleurs sédentaires souffrent de lumbago» écrivait Ramazzini qui conseillait à ces travailleurs «de faire à tout prix de l'exercice physique les jours de congé. Qu'ils sachent tirer le meilleur parti du dimanche et, d'une certaine manière, réparer le mal causé par plusieurs jours de vie sédentaire.»

N'est-il pas étonnant que tant de gens croient encore que le mal de dos est causé par des efforts excessifs alors qu'il y a déjà quelques siècles des médecins avaient observé que ce mal frappait les travailleurs sédentaires? En cette ère d'automatisation qu'est la nôtre, comme la plupart d'entre nous travaillons assis, il n'est pas nécessaire de chercher longtemps des raisons à la prolifération presque endémique des maladies du dos.

## Ne tournez pas le dos au travail

*Vrai ou faux?* La plupart des travailleurs qui souffrent de maux de dos occupent un emploi où il faut user de force physique.

Le mal de dos frappe *autant* ceux qui occupent un emploi de bureau que ceux qui doivent déployer de gros efforts physiques dans l'exécution de leur travail. Cette affirmation vous surprendra sûrement, étant donné que j'insistais précédemment sur la nécessité des exercices pour les muscles du dos. Les tâches qui exigent un effort physique devraient assurer aux muscles dorsaux l'exercice dont ils ont besoin pour garder le dos en forme, mais ce n'est le cas que s'il faut fournir constamment des efforts soutenus. Dans nos sociétés occidentales, la majorité des travailleurs ne sont appelés que sporadiquement ou à intervalles à faire de gros efforts physiques; il en résulte que ce groupe particulier de travailleurs connaît une plus forte prévalence de maux de dos. Un chauffeur de camion, par exemple, qui passe la plus grande partie de la journée assis dans son véhicule et qui décharge ensuite son poids lourd, à la fin d'un long voyage, est tout particulièrement vulnérable aux maux de dos.

S'il n'y a pas d'écart marqué quant à la prévalence des maux de dos entre les deux groupes de travailleurs (manuels et intellectuels), il existe toutefois une nette différence quand on considère les *conséquences* de ces maux de dos sur chacun des deux groupes en question. De toute évidence, un travailleur qui doit user de force physique ne pourra reprendre le travail aussi rapidement qu'un employé dont les tâches exigent peu d'efforts physiques. Nous avons même constaté que les travailleurs qui rentraient au travail après des vacances ou un repos forcé de deux à trois semaines étaient plus prédisposés aux maux de dos en raison d'une moins bonne forme physique. Peu au fait des efforts demandés à leur patient dans l'exercice de son métier, des médecins ordonnent souvent le retour au travail *dès que la douleur a disparu*. Une telle décision devrait plutôt être dictée par la certitude que le dos est en parfaite condition ou que le travailleur a retrouvé la pleine capacité de remplir adéquatement les tâches qui lui incombent. Sans quoi le travailleur risque presque à coup sûr de nouveaux problèmes dorsaux.

Il existe une autre différence entre les deux groupes quand on considère les conséquences des maux de dos. Pour le travailleur manuel, le mal de dos a des répercussions émotives plus graves que pour le travailleur intellectuel. Le premier est généralement plus secoué par cette douleur parce qu'il considère son dos comme sa «chambre des machines». Si son dos ne fonctionne pas normalement, il ressent cette défaillance comme une menace à sa sécurité financière.

Le cadre du type bourreau de travail est également une victime toute désignée des maux de dos. De mauvaises habitudes posturales au bureau où le cadre travaille souvent de longues heures, la tension nerveuse qui provoque la contraction des muscles du dos et réduit notablement l'apport sanguin, et pour compléter le tout la pratique de sports violents pendant le week-end auront souvent pour résultat un mal de dos causé par un spasme musculaire. Ce type de travailleur est en fait exactement dans la même situation que le chauffeur de camion: une activité physique occasionnelle après de longues heures de travail sédentaire peut conduire directement chez son médecin cet athlète de week-end qui souffrira le martyre à la suite d'une blessure musculaire dans la région lombaire.

## Le dos, comme le vin, se bonifie

*Vrai ou faux?* On souffre rarement de maux de dos avant 30 ans.

Jetons d'abord un coup d'œil au tableau suivant, tiré du fascicule intitulé *Manual Lifting and Related Fields* (*Levage manuel et matières*), publié par le Labour Safety Council de l'Ontario.

***Incidence des maux de dos en fonction de l'âge (1979)***

| Âge | −20 | 21-30 | 31-40 | 41-50 | 51-60 | 61+ |
|---|---|---|---|---|---|---|
| Pourcentage de blessures au dos | 6,4% | 26,5% | 31,2% | 21,5% | 11,4% | 3% |

Comme vous pouvez le constater, les maux de dos *ne* frappent *pas* rarement les gens de moins de 30 ans. Les douleurs lombaires sont très fréquentes chez les jeunes gens. Une différence se manifeste toutefois au niveau de la gravité des maux qui affligent les groupes de 21-30 et de 31-40 ans. Dans le cas du plus jeune groupe, la douleur semble moins insupportable que dans le cas de leurs aînés et elle s'estompe plus rapidement. Parce que leur incapacité physique dure moins longtemps, les membres du plus jeune groupe sont moins longtemps absents du travail. Dans le cas du groupe plus âgé, l'incapacité et le dérèglement fonctionnel sont plus importants et causent une absence prolongée du travail; ils occasionnent aussi des coûts plus élevés tant pour la chirurgie que pour des compensations versées à la suite d'une incapacité. C'est pourquoi d'ailleurs on considère généralement le mal de dos comme une maladie dégénérative qui frappe les personnes âgées. En réalité, le mal de dos est un problème majeur chez les jeunes gens et un problème fondamentalement méconnu. Or si le «problème» de dos survient à un âge avancé, l'évolution de la maladie, quant à elle, remonte loin dans le passé. C'est très tôt que sont semées les graines qui produiront plus tard ces crises récurrentes de maux de dos et vous rendront l'existence pénible pendant vos années les plus productives.

Dans un article intitulé «*Backache in Boys — A New Problem*» («Les maux de dos chez les garçons, un nouveau fléau») V.A. Grantham, le médecin attitré du Oundle School dans le Northamptonshire, en Angleterre, affirme «que le nombre de garçons atteints de maux de dos augmente sensiblement dans la catégorie des 13 à 15 ans». Il suppute que cet état de fait pourrait être en partie imputable à des exigences athlétiques accrues qui font courir des risques élevés à un plus grand nombre de garçons. Il croit également que les garçons reprennent trop tôt la pratique des sports après une blessure — avant même que leur dos ait retrouvé sa forme et ait pu être renforcé par des exercices appropriés. Son point de vue me semble juste, mais je crois qu'il faudrait peut-être tenir compte d'une autre raison pour expliquer ce phénomène: les adolescents d'aujourd'hui ont tendance à adopter de mauvaises habitudes posturales qui peuvent affaiblir les muscles dorsaux et leur causer plus tard de graves problèmes. J'expliquerai au chapitre 9 les conséquences d'un mauvais maintien sur le dos.

Si vous avez souffert à l'occasion de maux de dos, mais en avez fait peu de cas comme s'ils étaient sans importance, rappelez-vous qu'une douleur au dos signale que tout ne va pas pour le mieux. Des crises intermittentes de maux de dos au cours des premières années de l'âge adulte peuvent très bien se transformer en «problème» dorsal lorsque vous aurez 30 ou 40 ans.

Il faut toutefois souligner une vérité réconfortante en ce qui a trait au dos et au vieillissement. Réexaminez le tableau et vous constaterez que le problème tend à se résorber à mesure que nous avançons en âge. La nature a vu à ce que notre dos, comme le vin de qualité, se bonifie avec le temps.

## Le dos des quadrupèdes

*Vrai ou faux?* Les êtres humains souffrent de maux de dos parce qu'ils ont adopté la station verticale.

Une croyance populaire largement répandue soutient que l'évolution qui nous a fait passer de l'état de quadrupèdes à celui de bipèdes est en partie responsable de nos maux de dos. Il est indiscutable que la station verticale de l'homme rend le bas de son dos particulièrement vulnérable à la fatigue et aux douleurs de toutes sortes, mais même alors une question reste sans réponse: pourquoi certaines gens, en dépit des rudes tâches manuelles qu'elles exécutent toute leur vie, ne souffrent-elles jamais de maux de dos?

Il ne fait aucun doute que la station verticale exerce des forces de cisaillement et d'importantes contraintes sur les vertèbres et les disques intervertébraux de la colonne. Il ne fait aucun doute non plus que le dos est une mécanique fragile, complexe et parfaitement conçue. Toutefois, si vous malmenez cette mécanique et l'affaiblissez, vous connaîtrez des ennuis. Traitez-la comme il se doit et maintenez-la en forme; vous jouirez ainsi d'un dos qui ne vous causera jamais de problèmes.

Soit dit en passant, nous n'avons aucune raison d'envier nos cousins quadrupèdes. Ils ne sont pas tous à l'abri des maux de dos. N'importe quel vétérinaire vous confirmera que certains chiens souffrent aussi de désordres vertébraux et si la hernie du disque intervertébral lombaire est la principale source de douleur chez l'homme, sachez que la conséquence de ce mal est encore pire chez les chiens: chez ces derniers, elle provoque la paralysie.

Autre constatation également significative: les désordres discaux sont moins fréquents chez les chiens de chasse que chez leurs congénères de salon. Il semble que le chien ait aussi besoin d'exercice pour conserver un dos sain, tout comme son maître bipède.

## Le dos de «La grosse femme»

*Vrai ou faux?* Les femmes souffrent plus que les hommes de maux de dos.

La prévalence des maux de dos est la même chez les deux sexes, mais les femmes connaissent dans leur existence une période où elles sont particulièrement vulnérables à ce mal: il s'agit de la grossesse. Pour la plupart, les femmes occupent des emplois qui exigent d'elles moins d'efforts physiques que ceux que détiennent les hommes et, pour plusieurs d'entre elles, la période de grossesse est le seul moment où leur épine dorsale est rudement mise à l'épreuve par un lourd fardeau.

Pourquoi les femmes enceintes sont-elles si prédisposées aux maux de dos? Encore une fois, occupons-nous d'abord des muscles et des habitudes posturales. Reproduisez-vous mentalement l'image d'une femme enceinte de cinq mois. Le fardeau qu'elle porte devant elle, dans son ventre, a déjà provoqué une concavité de la colonne, que l'on appelle communément le «dos de selle» ou «ensellure anormale», qui affaiblit les muscles dorsaux de sorte qu'ils se fatiguent plus rapidement. Cette fatigue musculaire exerce à son tour une forte pression sur la partie inférieure de la colonne vertébrale. Si les muscles d'une femme sont affaiblis avant même sa grossesse, par suite d'un mauvais maintien ou d'un manque d'exercice, la pression additionnelle qui s'exercera sur eux pendant la grossesse causera une douleur: d'abord un mal de dos agaçant, puis une douleur plus tenace et plus lancinante à mesure que progressera la grossesse.

Je tiens toutefois à rassurer sur-le-champ toute femme que pourrait inquiéter la seule éventualité d'une grossesse. Les maux de dos pendant une grossesse ne sont pas inévitables. Des exercices physiques appropriés avant la grossesse (comme pendant cette période, mais seulement sur les conseils d'un obstétricien) vous permettront de traverser sans douleur ces neuf mois; tout au plus aurez-vous à vous plaindre de quelques élancements passagers.

Pour redonner du tonus à l'abdomen et aux muscles du dos, il est nécessaire d'exécuter certains exercices que la plupart des médecins prescrivent d'ailleurs aux nouvelles mamans tout particulièrement vulnérables, en cette période de leur existence, aux maux de dos puisqu'elles sont alors totalement occupées à soigner leur enfant qu'elles doivent porter dans leurs bras et soulever, ce qui les oblige à se pencher souvent. Raffermir à ce moment précis les muscles affaiblis peut aider à prévenir des maux de dos chroniques qui ne manqueraient pas de gâcher l'existence.

Quand il y a disproportion entre le fardeau imposé à la colonne ou les efforts exigés d'elle et sa capacité à les supporter — peu importe que vous soyez un homme ou une femme — pour l'un et l'autre sexe la conséquence sera un mal de dos.

## Ne courbez pas déjà l'échine

*Vrai ou faux?* Si vous souffrez occasionnellement de maux de dos qui disparaissent sans traitement, il n'y a pas de quoi vous inquiéter.

La plupart des gens considèrent le mal de dos comme un malaise passager qui n'a aucun rapport avec leur état général, un peu comme un mauvais rhume. Cela s'explique en partie par la nature passagère de la douleur et les longs intervalles qui séparent les crises aiguës.

Toutefois, ainsi que vous le découvrez peu à peu, les lombalgies sont généralement des manifestations d'une maladie récurrente en progression et chaque nouvelle attaque sera normalement plus grave, plus persistante et plus paralysante que la précédente. Entre ces accès de douleur s'intercalent généralement des périodes de bien-être relatif peut-être troublé par des raideurs matinales et des malaises passagers. Le processus s'enclenche habituellement au début de l'âge adulte et beaucoup trop souvent il atteint son paroxysme chez des individus dans la force de l'âge et se traduit par une douleur chronique qui ne laisse pas un instant de répit, de graves infirmités ou la nécessité de procéder à une intervention chirurgicale.

Comme toujours, quand un patient ignore la physiologie du dos, il réagit en toute logique à chaque moment de crise en réduisant ses activités — qu'il s'agisse de sport, de passe-temps ou de travail — dans l'espoir qu'il préviendra ainsi de nouveaux problèmes. Ian MacNab, chirurgien canadien de grande réputation, a déjà utilisé l'expression suivante pour qualifier le mal de dos: c'est un «dictateur malveillant qui prive l'individu de son plein droit à jouir de la vie».

Ne négligez pas ces premières crises de douleur au bas du dos; elles sont un avertissement que vous sert votre dos. Il essaie ainsi de vous dire que tout ne tourne pas rond.

## Le dos du mulet

*Vrai ou faux?* Les maux de dos sont ordinairement la conséquence d'une mauvaise méthode de levage.

Il est dans la nature de l'homme de vouloir trouver à tout problème une cause bien définie, quelque chose qu'il puisse cerner et donc éviter par la suite. Voilà pourquoi presque tous les individus atteints de maux de dos affirment que leur douleur est la conséquence d'un levage effectué sans prendre les précautions nécessaires. De nos jours, il ne fait plus aucun doute qu'une bonne méthode de levage réduit les risques de maux de dos. Je consacrerai d'ailleurs un peu plus loin un chapitre entier aux techniques recommandées pour soulever un objet. Mais ce que je tiens d'abord à souligner ici, c'est qu'un geste maladroit ne sera, dans bien des cas, que le grain de sable ajouté qui fait crouler le mulet: en d'autres mots, le problème dorsal existait vraisemblablement bien avant cette mésaventure bien délimitée dans le temps.

Pour appuyer mes dires, j'aimerais vous exposer ce que révèle un examen attentif des statistiques rendues publiques par l'Ontario Workman's Compensation Board. Le type le plus répandu d'ennuis lombaires relevés chez les travailleurs est attribué à un effort excessif, ce qui signifie que le dos des ouvriers en question était trop faible pour accomplir une tâche particulière ou, inversement, que la tâche était trop lourde, même pour un ouvrier qui jouit d'un dos solide. On y apprend que 62% des troubles lombaires sont classés dans cette catégorie alors que les 38% qui restent sont causés par des objets tombés de très haut, par des chutes, par des faux pas et d'autres facteurs non identifiés. Des enquêtes plus poussées ont démontré que seulement 26% des employés classés dans la catégorie de l'effort excessif s'étaient effectivement blessés au dos en soulevant un objet. Les autres ne pouvaient attribuer leurs maux de dos à aucune cause précise. Les maux de dos ne sont pas *d'ordinaire,* contrairement à ce que nous aimons croire, la conséquence d'une mauvaise technique de levage. Dans 80% des cas, le mal de dos est causé par des muscles épuisés qui réagissent contre la fatigue en se maintenant en état de contraction ou de spasme.

## Le dos en panne

*Vrai ou faux?* Après le rhume banal, le mal de dos est la deuxième cause en importance de l'absentéisme dans l'industrie.

Les rhumes et les grippes restent la première cause d'absentéisme dans l'industrie, mais l'affirmation que le mal de dos vient en deuxième position dans ce palmarès devrait nous porter à réfléchir. Si cela ne vous convainc pas que le mal de dos a pris l'allure d'une véritable épidémie en Amérique du Nord, j'ignore ce qui vous en convaincra.

Si la douleur est causée par une fatigue musculaire, comme c'est généralement le cas, les médecins prescrivent presque universellement une période de repos au lit et des médicaments. Ils savent que le temps est le meilleur remède et que la douleur provoquée par la plupart des tensions musculaires disparaîtra en l'espace d'environ trois semaines, peu importe le traitement appliqué. Malheureusement, presque tous les gens s'imaginent que leur dos a retrouvé sa forme dès que la douleur a disparu. Ils ne comprennent pas qu'un dos blessé n'est jamais complètement guéri à moins qu'on ne prenne les moyens nécessaires pour remettre en condition les muscles affaiblis. La Méthode d'évaluation de l'état de santé du dos que vous trouverez dans ce livre vous offre l'occasion de jauger la condition de votre dos, après résorption d'une tension musculaire. Vos résultats à ces épreuves vous révéleront clairement l'état de votre dos et les mesures que vous pouvez prendre pour pallier ses défaillances.

## Le dos comme une pelote d'épingles

*Vrai ou faux?* Les rayons X sont un outil essentiel pour déterminer la cause d'un mal de dos.

Dans le cas d'un grave mal de dos, il est vrai que le médecin peut recourir à la radiographie, entre autres techniques, pour s'assurer à tout le moins qu'il n'a pas affaire à des maladies comme le cancer, les abcès, les inflammations, la tuberculose, la spondylarthrite ankylosante, l'ostéoporose, la maladie de Paget, celle de Scheuermann ou la spondylose. Même réunies, toutes ces maladies ne sont responsables que d'un pourcentage insignifiant de troubles dorsaux; il importe néanmoins de poser un diagnostic parce qu'un traitement spécifique peut s'avérer nécessaire dans ces cas particuliers.

Toutefois, les patients chez qui on a diagnostiqué des lombalgies communes ont tendance à surestimer l'importance des rayons X. Je puis vous assurer que, quand a été écartée toute possibilité de maladie grave, une radiographie apprendra peu de choses au médecin. Le docteur Ian MacNab, une sommité mondialement reconnue dans le domaine de la chirurgie du dos, a déjà expliqué dans un livre intitulé *le Mal de dos,* qu'en raison des difficultés d'établir un diagnostic dans le cas de lombalgies, il fut un temps où les cliniciens imputaient à diverses anomalies singulières révélées par les rayons X la présence de symptômes inexplicables. Quand on découvrit plus tard que ces singularités anatomiques se présentaient aussi souvent dans la population en général que parmi les patients atteints de maux de dos, il devint évident qu'elles ne pouvaient à elles seules provoquer des lombalgies.

Combien de fois avez-vous entendu dire: «Mes radios révèlent une déformation de la colonne qui cause mon mal de dos» ou «Mes maux de dos sont causés par une dégénérescence discale qu'on a décelée sur mes radios»? Pourtant le docteur MacNab a bien insisté sur le fait qu'une étude des radiographies de trois cents travailleurs n'avait permis de déceler *aucune différence* dans l'incidence des altérations dégénératives de la colonne vertébrale, bien que cent cinquante d'entre eux se soient plaints de maux de dos et se soient trouvés sous traitement, tandis que les cent cinquante autres n'avaient jamais souffert de douleurs lombaires. En fait, la discarthrose est une conséquence normale du processus de vieillissement et se manifeste chez tous les humains à partir de l'âge de 25 ans.

Quand elle ne révèle rien d'anormal, une radiographie peut même déprimer certains patients. «Comment expliquer cette terrible douleur, si mes radiographies sont normales?» demandera le patient. Une fois de plus, rappelons-nous qu'un muscle en état de spasme — comme d'ailleurs la grave enflure qui en résulte — *ne laisse aucune trace* perceptible sur une radiographie. Les rayons X ont un autre effet regrettable: ils induisent les gens à accorder trop d'importance à la structure osseuse de la colonne vertébrale et à négliger le rôle tout aussi important des muscles dorsaux.

Tout autant que le docteur, le patient devrait avoir la sagesse de garder à l'esprit ce qu'écrivait le docteur MacNab au sujet des rayons X: «La première question que doit se poser un médecin, quand il a identifié une anomalie anatomique aux rayons X, est la suivante: «Je me demande bien ce qui cause les maux de dos de ce patient?»

## Mots de dos

*Vrai ou faux?* La plupart des maux de dos sont causés par un «disque déplacé».

Bien qu'en réalité un disque ne puisse être «déplacé», cette expression s'est récemment imposée dans le langage populaire. Les médecins lui préfèrent plusieurs autres expressions synonymiques: la hernie discale, par exemple, l'affaissement discal, le renflement discal, la fusion des vertèbres, le ramollissement discal, la gibbosité discale, la rupture ou déchirure discale, etc. Les médecins préfèrent ces expressions parce qu'un disque, qui est un amortisseur de choc placé entre les vertèbres, ne pourrait d'aucune manière quitter sa position dans la colonne. Il saillit légèrement quand une trop forte pression s'exerce sur la colonne; quand il saillit davantage et qu'il entre en contact avec un nerf, causant ainsi une douleur, on parle en langage courant de «disque déplacé».

Ce phénomène survient dans moins de 5% des cas de maux de dos relevés dans la pratique générale de la médecine et un médecin le diagnostiquera en présence des manifestations suivantes: le patient se plaint d'une douleur qui s'irradie à la jambe et cette douleur s'accompagne de modifications de l'influx nerveux au membre inférieur d'où la faiblesse musculaire. Au cours de l'examen médical, le patient ne parviendra peut-être pas à soulever les jambes ou il souffrira de dérèglement d'ordre sensoriel, au niveau des jambes, qui s'exprime par des engourdissements, des picotements ou la perte de réflexe au genou ou à la cheville. Dans les cas plus graves, on pourra constater une perte de tonus des muscles des sphincters de la vessie et de l'anus, de même que l'insensibilité de la région rectale; ces cas requièrent d'urgence un traitement médical. Fort heureusement, ils sont extrêmement rares.

Aucun diagnostic concluant de hernie discale ne peut être posé à partir d'une simple radiographie. À moins de recourir à une myélographie, à un phlébogramme ou à d'autres examens très spécialisés, aucun médecin ne peut établir le diagnostic de ce qu'il est convenu d'appeler un «disque déplacé». Ces examens s'avèrent parfois nécessaires quand on ne réussit pas à soulager un patient de ses douleurs par des traitements usuels en l'espace de quelques semaines ou quand les extrémités du corps sont atteintes d'une perte graduelle des fonctions nerveuses.

La hernie discale s'aggrave généralement avec le temps; elle provoque d'abord un léger inconfort au bas du dos en raison de l'affaiblissement progressif des tissus survenu au cours des ans. Dans la majorité des cas, la hernie discale n'est pas la première manifestation d'un désordre dorsal, mais plutôt la phase terminale d'un processus dont les signes avant-coureurs ont été tout bonnement ignorés. Plus simplement, ce mal est l'aboutissement d'un déséquilibre qui affectait depuis des années l'organisme.

## Un dos sportif

*Vrai ou faux?* Si vous vous adonnez régulièrement à une activité sportive, vous ne souffrirez pas de maux de dos?

Il est vrai que la pratique de sports énergiques assure une protection relative contre les problèmes de dos, mais le mot-clef de l'énoncé qui précède est *régulièrement.* Ceux qui ont laissé leurs muscles s'affaiblir et perdre la forme courent souvent de graves dangers lorsqu'ils s'adonnent à des sports pendant le week-end. Le syndrome du mal de dos de lundi matin constitue un indice évident que le dos n'est pas en état de s'adonner, pendant le week-end, à des activités auxquelles il n'est pas habitué.

Aimez-vous faire du jogging? Ce sport fait des merveilles pour qui a le dos solide, mais il peut être dommageable pour qui a le dos affaibli. Reste à choisir: ou vous abandonnez la pratique des sports s'ils vous causent des ennuis dorsaux ou vous améliorez l'état de votre dos pour pouvoir continuer à pratiquer des sports en toute sérénité.

Après que vous vous serez soumis à l'Évaluation de l'état de santé du dos et que vous aurez noté vos résultats, vous serez mieux en mesure de distinguer les sports qui vous conviennent et ceux auxquels vous devriez renoncer, du moins pendant que vous travaillez à remettre votre dos en condition. Quand il aura retrouvé toute sa forme, vous pourrez sans doute pratiquer votre sport favori et en tirer même plus de plaisir parce que vous serez en meilleure condition physique. Rappelez-vous toutefois que la santé n'est jamais acquise une fois pour toutes. Le dos est la pierre angulaire de la motricité, il est essentiel à toute forme d'activité et sa flexibilité comme sa bonne forme ne peuvent être assurées que par des exercices pratiqués *régulièrement.*

## Avec le dos du scalpel

*Vrai ou faux?* Si vous souffrez d'un grave problème dorsal, une intervention chirurgicale le résoudra de façon permanente.

Dans les cas de graves ennuis dorsaux, la chirurgie n'est pas la cure miracle dont les gens rêvent. Elle ne constitue une réponse adéquate qu'à une petite fraction des maux de dos causés par un problème d'ordre mécanique spécifique: un disque en saillie qui coince un nerf, par exemple. Et même dans ce cas, la chirurgie ne constitue qu'une étape du traitement qu'il faudra appliquer au dos toute la vie durant.

Il fut un temps où on tenait la chirurgie pour la panacée universelle aux problèmes dorsaux. Mais les résultats de ce type de traitement furent à ce point décevants qu'il n'était pas rare, au cours de la dernière décennie, de rencontrer des gens qui avaient subi deux, trois ou même quatre opérations et qui souffraient encore malgré tout de maux de dos. Conscients de leur incapacité à soulager de façon permanente les maux de dos, les chirurgiens se montrent depuis quelques années moins empressés de procéder à des interventions. Aux États-Unis, la chirurgie a été un échec total dans 20% des cas et trois patients sur cinq qui s'y sont prêtés continuent à présenter des symptômes de maux de dos.

En dépit de ces faits, tout patient qui souffre constamment de pénibles maux de dos espère toujours éperdument qu'une intervention chirurgicale le soulagera en permanence de ce martyre. Pour les patients, la douleur signifie que quelque chose ne tourne pas rond et ils croient que le chirurgien a les outils nécessaires pour procéder aux réparations qui s'imposent. Quand on leur apprend que la chirurgie ne soulage pas la plupart des douleurs chroniques, les patients ont le sentiment qu'on les abandonne à leur sort. J'ai écrit ce livre pour combler cette lacune.

# 3

# POURQUOI LES SPASMES MUSCULAIRES FONT-ILS SI MAL ET COMMENT LES TRAITER?

«Il est plus important de bien connaître la personne qui souffre d'un mal que de savoir de quel mal souffre une personne», affirmait Hippocrate. Quand un patient se présente au cabinet du médecin en se plaignant d'un mal de dos, tout praticien, quel qu'il soit, devrait garder à l'esprit cette affirmation du grand physicien grec. Le dossier médical du patient et le compte rendu qu'il donne de l'évolution de son mal fourniront au médecin autant d'indices pour déterminer la nature de la maladie que l'examen médical lui-même. Pourquoi? Parce que, contrairement à l'amygdalite, le mal de dos n'est pas un problème qui se tranche au couteau. La douleur que vous ressentez au dos peut être le symptôme d'une grande variété de maladies, sans compter que, dans la plupart des cas, il n'existe que très peu de signes physiques indicatifs sur lesquels le médecin pourrait se pencher. Comme je le mentionnais plus tôt, dans 90% des cas le mal de dos est la conséquence d'un désordre musculo-squelettique ou, pour parler comme le profane, d'un spasme musculaire. Même s'il est prévenu que c'est là vraisemblablement la cause de la douleur, le médecin n'est pas moins conscient que le patient se sent inquiet et désemparé. Le médecin a aussi la quasi-certitude que son patient, né en ce XX$^{e}$ siècle trépidant s'attend à un diagnostic comme à un traitement rapides et sûrs.

En dépit de l'aura de mystère qui entoure leur profession, les médecins sont aussi des humains: ils ne demandent pas mieux que de répondre aux attentes de leurs patients. Si le patient exige un terme médical qui frappe l'imagination pour justifier en quelque sorte le désarroi qui l'afflige, le médecin se rendra souvent à sa demande en lui mentionnant un terme généralement vague et imprécis qui décrira grosso modo le problème. «Vous souffrez de dégénérescence discale», décrétera péremptoirement le médecin à son patient qui, à ces mots, pâlira. «Il n'y a pas de quoi s'étonner que je souffre tant!», se dira le patient qui se représentera simultanément ses disques intervertébraux en train de s'émietter comme des biscuits secs. La réponse du médecin, qui voulait satisfaire aux besoins du patient en mal d'obtenir un diagnostic, aura malencontreusement engendré une peur et créé une situation où les risques de mésinterprétation pourraient avoir de fâcheuses conséquences. Si un autre médecin affirme plus tard au même patient qu'il souffre de spondylarthrite, ce qui signifie simplement une inflammation des articulations, le patient éprouvera encore plus de crainte et de défiance et peut-être sera-t-il tenté de se précipiter chez le premier guérisseur. Comme je l'ai indiqué plus tôt, le mal disparaîtra sans doute en l'espace de trois semaines, peu importe le traitement appliqué. Et ainsi, la dernière personne qui aura traité le patient jouira-t-elle de tout le crédit de cette guérison. Bien entendu, parce que, dans bien des cas, il n'existe pas de cure définitive, le patient continuera de souffrir de maux de dos et c'est là ce qu'il y a de plus déplorable.

Vous pouvez maintenant comprendre pourquoi la communication entre le médecin et son patient atteint d'un mal de dos tient un rôle si important dans le processus de guérison. L'usage inconsidéré d'un vocabulaire trop scientifique peut dérouter à ce point un patient qu'il entravera le processus de guérison complète. Voilà pourquoi le médecin doit s'efforcer d'expliquer aussi simplement et clairement qu'il est possible un mal de dos et devrait aussi toujours garder à l'esprit que, pour la plupart des malades, douleur égale danger. Si le mal de dos est grave, le patient sera vraisemblablement porté à croire que la maladie qui le cause est également grave.

La façon dont le patient relate son cas et décrit ses symptômes fournit l'information nécessaire à l'établissement du diagnostic médical et révèle de plus au médecin le point de vue du patient sur le problème en question et sur ses peurs inavouées. À moins que le médecin ne perçoive clairement ces inquiétudes, il est peu probable que le patient collabore volontiers au traitement anodin qu'on applique aux maux de dos courants et qui s'avère d'ordinaire le plus efficace.

Ma méthode pour soigner le dos repose sur ma conviction que le médecin ne doit pas uniquement apprendre au patient ce qui ne va pas, mais également lui expliquer le sens de son diagnostic, comment la maladie pourrait évoluer et pourquoi certains traitements sont prescrits.

J'aimerais vous montrer, en vous relatant l'expérience vécue par une de mes patientes, à quel point est important le dossier médical d'un patient, comment et pourquoi on procède à un examen médical, ce que révèle cet examen et pourquoi le traitement prescrit est nécessaire.

## LE CAS DE MARGARET N., ÂGÉE DE 35 ANS

Je suis divorcée et j'ai trois enfants, âgés respectivement de 7, 8 et 10 ans. Leur père pourvoit financièrement à leurs besoins, mais ces allocations ne suffisent pas à nous protéger contre l'inflation galopante. L'année dernière, j'ai conclu qu'il me faudrait un jour ou l'autre me trouver du travail et qu'à moins de retourner aux études pour compléter ma formation je ne pourrais me qualifier pour occuper un poste qui rapporte un salaire décent. J'ai posé ma candidature à l'école de journalisme où on m'a acceptée et j'ai passé avec succès les examens de première année le mois dernier.

J'ai été incroyablement chanceuse: grâce à l'intervention d'un ami, on m'a offert un travail chez un éditeur de périodique voilà trois mois et, même si cela m'a obligée à étudier la nuit pour préparer mes examens et à travailler tout le jour, j'ai sauté sur l'occasion. Il est difficile de se trouver du travail dans le secteur des périodiques; cette chance était inespérée.

Les enfants se sont montrés très compréhensifs: je veux dire que, pour l'heure, ils sont privés de leur mère et que nous devons nous partager le travail ménager, les fins de semaine; je leur ai expliqué que c'était la seule façon d'éviter l'éclatement de notre petite cellule familiale et de passer un peu de temps ensemble. De toute manière, je ne gagne pas assez pour me payer une aide, du moins pour l'instant. Il faudra patienter un an ou deux, j'en ai bien peur, mais nous nous tirerons d'affaires jusque-là. Je suis résolue à dénicher une gardienne qui s'occupera des enfants à plein temps. Ils sont encore trop jeunes pour être laissés à eux-mêmes de longues heures et je m'inquiète constamment à leur sujet.

Mon travail me bouffe toutes mes énergies. Tous les vendredis soir, nous mettons sous presse la revue et je ne suis pas sortie du bureau avant 9 ou 10 heures. Ce soir-là, ma voisine de palier garde les enfants. C'est une femme extraordinaire et, sans elle, je ne saurais pas à quel saint me vouer! Je la considère comme ma deuxième mère — ma mère est morte, voilà quelques années, d'un cancer du pancréas. Elle me manque terriblement, mais je me suis sentie soulagée quand elle est enfin décédée, parce que le cancer avait gagné la colonne vertébrale et qu'elle souffrait le martyre.

Je dois admettre que les trois derniers mois ont été particulièrement épuisants, et juste au moment où je commençais à me dire que tout allait rentrer dans l'ordre parce que j'avais enfin terminé mes examens, j'ai contracté ce mal de dos. Jamais je ne me suis sentie si misérable de toute ma vie. La douleur est atroce et ne me laisse pas un instant de répit.

Je suis allée consulter mon médecin de famille voilà trois semaines et il a exigé des radiographies qui n'ont rien révélé d'anormal; il m'a alors prescrit des calmants. Je déteste les médicaments; je ne prends presque jamais d'aspirine et me voilà obligée de me gaver de pilules et de tranquillisants. Au bureau, il m'arrive souvent de me heurter aux meubles et aux murs; j'ai du mal à me concentrer et à faire convenablement mon travail à cause de ces trucs qui m'embrouillent les idées. Si au moins la douleur s'en trouvait soulagée! Mais elle ne me lâche pas et elle est particulièrement insupportable quand je suis assise: or c'est dans cette position que je passe la journée au bureau. Je ne peux pas m'absenter de mon travail: il n'y a personne pour me remplacer, sans compter que je n'y suis que depuis trois mois et que je craindrais ainsi de perdre mon job. Mais la douleur a atteint un point tel que je ne vois pas comment je pourrais la supporter une journée de plus. C'est de loin pire que le mal de dos dont j'ai souffert au cours de mes dernières grossesses. Le mal a persisté neuf mois, mais l'obstétricien me répétait que ça n'avait rien d'étonnant. En effet, ma fille est née très peu de temps après mon fils; mon dos n'avait pas eu le temps de se remettre puisque ma nouvelle grossesse avait commencé trop tôt après le premier accouchement. Quant à ma troisième grossesse, ce fut un véritable cauchemar: j'étais toujours malade et entre mon mari et moi ça n'allait plus (notre mariage était un échec; nous nous sommes séparés deux ans plus tard). Le mal de dos disparut après la naissance de ma fille et je n'ai eu qu'une autre crise. L'année dernière, après que j'eus aidé le peintre à sortir du salon un lourd tapis, mon dos m'a tourmentée pendant quelques jours, mais la douleur s'est encore une fois estompée assez rapidement; aussi ne m'en suis-je pas inquiétée plus que de raison.

Mon médecin de famille a demandé à un neurologue de me recevoir la semaine dernière, qui n'a pu diagnostiquer aucun problème grave. Puis une compagne de travail m'a suggéré de venir vous voir. Et me voici. J'espère que vous pourrez rapidement remettre mon dos en état. Je me sens déjà coupable de m'être absentée plusieurs heures du bureau pour consulter tant de médecins.

Même si la femme assise en face de moi n'avait aucunement fait mention qu'elle souffrait, son état ne laissait aucun doute. Elle était pour ainsi dire perchée inconfortablement sur le bord de sa chaise; son teint sans éclat et le ton monocorde de sa voix trahissaient le fait que trois semaines de douleurs insupportables avaient provoqué chez elle non seulement un état d'épuisement mais aussi de dépression. Je lui expliquai qu'il me faudrait procéder à un examen et je lui demandai de se rendre dans la salle d'examen, où je la rejoindrais plus tard, pour se dévêtir et endosser une robe d'hôpital.

— Heureusement que je porte une jupe aujourd'hui, me dit-elle quand j'entrai dans la pièce. Je n'aurais jamais pu enlever un pantalon. J'ai même dû demander l'aide de l'infirmière pour enlever mes chaussures.

— L'examen ne sera pas long, environ dix minutes, lui dis-je. Tandis que vous êtes debout, j'aimerais que vous me disiez depuis quand vous souffrez de ce mal de dos et montrez-moi où la douleur a commencé à se manifester et où elle se loge maintenant, quelles zones elle affecte.

Les patients sont plutôt imprécis en ce qui concerne leur anatomie et cela se comprend. Quand ils vous disent qu'ils souffrent d'un mal de dos, vous pouvez être assuré qu'il peut se loger n'importe où, depuis les épaules jusqu'aux fesses. Je demande aussi à mes patients de me préciser si la douleur irradie à l'avant ou à l'arrière des cuisses, jusqu'aux genoux ou même en deça. Leurs réponses me fournissent des indices précieux pour déterminer s'ils souffrent d'une irradiation douloureuse ou si la douleur est la conséquence de l'irritation d'une racine rachidienne.

Le médecin a aussi besoin de savoir quelles activités avivent particulièrement la douleur.

— M'asseoir est insupportable, m'avoue Margaret. Et me relever est encore plus atroce.

Mais elle admet que, lorsqu'elle se met au lit, la douleur s'apaise un peu.

Parce que le mal de dos est un symptôme et non pas une maladie en soi, la cause de la douleur peut se situer ailleurs que dans la colonne vertébrale elle-même. Bien que cela ne se produise que dans un très faible pourcentage de cas, c'est pourtant pour cette raison qu'un médecin demande à un patient souffrant, comme Margaret, de mal de dos des détails sur les antécédants médicaux de sa famille et qu'il pose également des questions concernant, par exemple, la perte d'appétit, des selles moins régulières, des saignements anormaux, une perte soudaine de poids ou une toux chronique.

Pendant que Margaret était debout dans la salle d'examen, j'eus le temps d'observer son maintien. Je voulais savoir si sa colonne était bien droite ou si elle était déviée d'un côté, si elle s'appuyait davantage sur une jambe et s'il y avait affaissement d'un côté du fessier. Je lui demandai aussi de faire quelques pas afin de pouvoir relever la moindre anomalie dans sa démarche et à quel point le fait de marcher pouvait la gêner. Je lui demandai également de se pencher vers l'avant, vers l'arrière et de côté pour bien mesurer jusqu'où la douleur limitait ses mouvements.

Quand elle se fut étendue sur la table d'examen, je vérifiai les réflexes de ses genoux et chevilles en frappant les tendons avec le marteau à réflexes. L'étape suivante consistait à mesurer la force musculaire de la patiente en lui demandant d'exécuter à cette fin certains «exercices». Le plus important d'entre eux consiste à soulever la jambe en la maintenant droite et tendue pour vérifier si le nerf sciatique est en cause; si c'est le cas, il peut s'agir d'une affection discale. Un autre exercice — qui consiste à fléchir les deux genoux et à les ramener sur la poitrine — peut révéler l'existence d'une tension ou d'un spasme lombaire si se manifeste une douleur pendant l'exécution de l'exercice en question. Je vérifiai ensuite la sensibilité des parties inférieures des jambes en les piquant à l'aide d'une aiguille pour m'assurer que les fonctions nerveuses n'étaient pas atteintes.

Tandis que Margaret était couchée sur le ventre, j'examinai ses fesses pour en vérifier le tonus musculaire et la sensibilité, je palpai aussi son dos pour déceler tout spasme ou toute zone anormalement sensible. J'examinai également sa colonne vertébrale pour relever tout renflement, tout point sensible ou courbure anormale. Je procédai aussi à un examen du rectum pour déceler des excroissances, des tumescences et pour vérifier la position du col ainsi que l'état du coccyx. Dans le cas d'un homme, je palpe aussi la prostrate, qui peut causer bien des ennuis. Finalement, je m'assurai qu'il n'y avait pas hypertrophie des organes de la cavité abdominale et je prélevai des échantillons de sang et d'urine. J'étudiai ensuite les radiographies et, comme me l'avait affirmé Margaret, elles ne révélèrent aucune anomalie.

L'examen était maintenant complété et je demandai à Margaret de se rhabiller avant de revenir dans mon bureau. Je lui expliquai alors les raisons de l'examen: il fallait d'abord écarter toute possibilité de maladies graves peu fréquentes qui se regroupent en deux catégories: les maladies *congénitales* (une maladie avec laquelle on naît, comme la scoliose congénitale) et les maladies *acquises* (parmi lesquelles figurent l'ostéoporose, la spondylarthrite ankylosante, la tuberculose et les tumeurs).

Je voudrais dès maintenant insister sur le fait que ce livre n'a pas été conçu pour permettre l'auto-diagnostic. Bien que la plupart des maux de dos soient causés par des désordres musculo-squelettiques, quiconque souffre d'un mal de dos, qui empire progressivement ou qui perdure une ou deux semaines, devrait consulter un médecin pour s'assurer qu'il ne s'agit pas de symptôme d'une grave maladie.

Ainsi que je l'avais pressenti, Margaret ne présentait aucun signe de cancer ou d'une autre pathologie. Je remarquai son soupir de soulagement quand je le lui affirmai et je n'en fus pas étonné parce que j'étais convaincu que la mort de sa mère l'avait marquée plus qu'elle ne voulait l'admettre. Une personne qui a vu mourir un parent ou un ami d'une tumeur à la colonne vertébrale est tout naturellement inquiète quand elle souffre d'un mal de dos.

Mon autre préoccupation, comme je le lui expliquai, était d'acquérir la certitude qu'elle ne souffrait pas d'une hernie discale, parce que ce mal, s'il n'est pas traité à temps, peut causer des dommages irréversibles aux nerfs et aux muscles des jambes et des pieds. Puisqu'elle ne présentait aucun symptôme évident de hernie discale, je dis à Margaret qu'elle souffrait du plus courant des maux de dos: celui qui est provoqué par une entorse musculo-squelettique ou, dans le langage du profane, par un spasme musculaire qui se manifeste par une sensibilité anormale de certaines zones et par une perte des fonctions des vertèbres lombaires inférieures.

Margaret avait peine à croire qu'un spasme musculaire puisse être la principale cause de ses douleurs.

— Il y a sûrement quelque chose d'autre qui ne fonctionne pas comme il faut, insista-t-elle. Je ne peux pas croire qu'un muscle puisse à lui seul me causer tant de problèmes et pendant un si long moment.

Dans le cas de Margaret, plus d'un muscle était toutefois en état de spasme. Je lui expliquai qu'en un sens un spasme musculaire agit comme un mécanisme de protection qui se manifeste quand un muscle ou une articulation est blessé ou soumis à un effort excessif. Parfois des muscles voisins se contractent eux aussi dans un effort commun pour protéger la zone blessée et empêcher qu'elle ne subisse d'autres dommages. C'était exactement ce qui s'était produit dans le cas de Margaret.

— Margaret, avez-vous déjà ressenti une crampe dans la jambe après une rude journée de travail? lui demandai-je.

— Bien sûr que oui, répondit-elle. Et c'est très douloureux.

— Eh bien, essayez de vous imaginer un muscle du dos qui se

contracterait de la même façon, poursuivis-je. Les muscles contractés peuvent devenir très sensibles et douloureux quand la tension maintenue par un spasme les fait enfler. La douleur causée par le spasme est la conséquence d'un apport nutritif insuffisant. Le sang, qui contient l'oxygène et les éléments nutritifs, pénètre dans les muscles par des artères et en ressort par des veines en traînant avec lui les déchets produits par le métabolisme. Quand un muscle reste longuement contracté à cause d'un spasme, l'oxygène et les apports nutritifs ne parviennent pas aux cellules des muscles parce que les capillaires, de minuscules vaisseaux sanguins qui courent entre les artères et les veines, sont obstrués sous l'effet de la pression. C'est à travers ces capillaires que le sang et le muscle s'échangent l'oxygène et les déchets métaboliques. L'accumulation des déchets de cet ordre dans le muscle, comme aussi le manque d'oxygène, peut provoquer des douleurs.

— Margaret, dis-je alors, serrez le poing aussi fermement que possible et gardez-le fermé.

— Je commence à ressentir de la fatigue, me dit-elle après quelques secondes.

— Gardez-le bien serré, insistai-je.

— Eh! Ça devient vraiment inconfortable, soupira-t-elle.

— D'accord. Relâchez la tension. Je voulais simplement vous montrer comment n'importe quel muscle contracté plus longtemps qu'il n'y est habitué se fatigue, puis devient douloureux.

— Mais qu'est-ce qui déclenche initialement le spasme musculaire? demanda Margaret.

— Un spasme musculaire peut-être déclenché par diverses causes. Une blessure, un effort excessif, la tension nerveuse peuvent aussi causer un spasme, particulièrement si les muscles sont déjà affaiblis. Dans votre cas, je pense qu'il y a eu combinaison de facteurs: du surmenage et de la tension nerveuse.

— Et qu'est-ce que je peux faire pour m'en débarrasser?

Comme la quasi-totalité de mes patients, Margaret fut étonnée de se faire dire que le seul moyen de soigner ce mal de dos était le repos complet au lit.

— Je ne vous donne pas ce conseil à la légère, lui dis-je. Si je vous avais examinée voilà trois semaines, je vous aurais peut-être prescrit un traitement moins radical: thérapie par la chaleur, analgésiques, réduction des activités. Mais l'état de votre dos ne s'améliore pas, bien au contraire, et l'alitement est essentiel quand le dos met du temps à retrouver la forme. Si vous vous refusez à garder le lit à la maison, je devrai recommander l'hospitalisation.

Un seul coup d'œil en direction de Margaret me confirma que, si elle acceptait de s'aliter, elle n'en restait pas moins sceptique. Sa réaction ne m'étonna pas. C'était une femme forte qui avait connu bien des déboires. Comme plusieurs de mes patients, l'alitement lui semblait le dernier et le moins acceptable des recours. Nous vivons à l'époque des remèdes miracles qui agissent rapidement et l'alitement nous paraît un remède trop simple et surtout dont l'action est trop lente. Je crus bon d'ajouter quelques explications pour mieux m'assurer la plus entière collaboration de Margaret.

— Si vous vous étiez foulé la cheville, lui demandai-je, seriez-vous étonnée qu'on vous recommande de ne pas marcher avant qu'ait disparu tout signe d'inflammation?

Elle eut un signe de tête négatif.

— C'est parce que vous pourriez constater l'enflure de la cheville et que cela vous convaincrait, pour lui permettre de guérir, de ne pas lui imposer le poids de votre corps. Les muscles ou les articulations endommagés du dos, qui aident d'ailleurs à soutenir la colonne vertébrale, ne peuvent se reposer à moins que vous ne gardiez le lit et que vous soulagiez ainsi la colonne du poids du corps. Quand vous vous tenez debout ou que vous vous déplacez, vous faites travailler ces muscles parce qu'il leur faut alors lutter contre la force de gravité. Ils ne guériront pas tant que vous les obligerez à ce travail qui excède leurs capacités amoindries.

— D'accord, vous m'avez convaincue. Mais pendant combien de temps devrai-je garder le lit?

— Je pense qu'une semaine devrait suffire, lui répondis-je.

— Une semaine! Une semaine complète! Mais je vais perdre mon emploi!

— Dites à votre employeur de me téléphoner et je me ferai un plaisir de lui faire comprendre qu'il vous faut une semaine de congé. Je doute fort qu'on vous fasse des difficultés quand on saura pourquoi je vous recommande cette ligne de conduite.

— Pourrai-je me lever pour préparer les repas des enfants?

— Non, je veux que vous vous astreigniez au repos complet. Vous ne devrez vous lever que pour vous rendre aux toilettes et notre physiothérapeute vous montrera comment vous y prendre pour réduire au minimum l'effort exigé et l'inconfort qui pourrait en résulter. Vous pouvez bien donner vos instructions à vos enfants depuis votre lit! Il faudra sans doute vous contenter de soupe et de sandwiches pour les repas, mais ne vous plaigniez-vous pas tout à l'heure de ce que vous ne les voyiez que fort peu souvent? Eh bien! voilà l'occasion de remédier à cette situation!

Ce me sera très difficile de garder le lit pendant toute une semaine, en particulier parce que je devine la montagne de travail qui m'attendra quand je serai sur pied.

— C'est pourquoi je tiens à ce que vous continuiez à prendre des calmants pendant quelques jours encore, lui dis-je. Ils vous aideront à vous détendre et vous rendront plus somnolente en sorte qu'il vous semblera moins pénible de garder le lit. Dès que vous commencerez à vous sentir mieux — disons dans deux ou trois jours — vous pourrez délaisser les calmants et tout autre analgésique dont vous n'aurez plus besoin.

«Maintenant, je vais vous présenter ma physiothérapeute. Elle passera quelques instants avec vous et vous montrera comment reposer votre colonne vertébrale en adoptant ce que nous appelons la position dite «au point mort». Elle vous dispensera aussi quelques notions pratiques concernant les soins de santé à apporter au dos, en sorte que vous comprendrez mieux pourquoi le fait de se coucher en adoptant certaines positions assure au dos de meilleures chances de guérison.

«Je veux vous revoir dans une semaine et je suis sûr que vous vous sentirez alors bien mieux. Quand tout sera revenu à la normale, je vous ferai subir notre Évaluation de l'état de santé du dos. Si vos résultats à cette épreuve confirment mes présomptions quant à la condition de vos muscles dorsaux, vous aurez des devoirs à faire à la maison. Nous vous montrerons comment renforcer votre dos pour vous éviter de nouvelles crises de douleur au dos.»

# 4

# COMMENT FONCTIONNE VOTRE DOS

Pour la plupart des gens, le dos est un mystère insondable. C'est le cheval de trait du corps humain auquel nul n'accorde aucune attention tant qu'il accomplit infatigablement sa tâche. Mais quand il ne répond plus, tous se sentent pris soudain pour lui d'un intérêt incommensurable: après tout, les problèmes de dos peuvent partiellement, parfois complètement, nous immobiliser. Qui plus est, ils sont douloureux. Et nous ne pouvons même pas trouver de cause visible à ce mal. Quand nous nous tordons lentement et péniblement pour l'examiner dans un miroir, nous ne lui trouvons rien de changé, même s'il nous force à traîner la jambe, l'air d'un marin ivre qui a du mal à garder son équilibre, une main vainement appuyée à l'endroit où la douleur aiguillonne. Le plus frustrant, c'est que la douleur dure et perdure. Quand on souffre d'un mal de dent, on peut au moins espérer un soulagement rapide à la douleur, après une courte visite chez le dentiste. Pourquoi diable un médecin ne peut-il soulager un mal de dos aussi rapidement?

Moi qui, chaque année, traite des milliers de problèmes dorsaux, je comprends parfaitement la frustration que ressentent mes patients. Comme Margaret dont j'ai exposé le cas au chapitre précédent, plusieurs d'entre eux ont cette volonté à toute épreuve et adoptent, face à la maladie, l'attitude qu'on peut résumer par ces mots: «Souris et supporte tout en silence.» À moins qu'on ne leur explique comment fonctionne le dos, pourquoi il agit et réagit de telle ou telle façon, je sais pertinemment qu'il ne me sera pas facile de m'assurer leur entière collaboration. En conséquence, ma méthode pour soigner le dos repose sur la conviction qu'un patient bien informé sera plus coopératif et plus détendu. Et cela seul en soi aidera le dos à se remettre plus rapidement.

C'est en gardant cela à l'esprit que je présente mes patients à ma sœur, Jan, la physiothérapeute attachée à notre clinique. À son tour, Jan les présente à un autre membre de notre personnel, Gringalet, un squelette humain installé en permanence dans son cabinet et qui joue un rôle inestimable dans l'éducation de nos patients.

L'une des premières constatations sur laquelle Jan attire l'attention de nos patients c'est que, puisque Gringalet se réduit à cette charpente d'os qui compose le corps humain, il faut nécessairement le suspendre. Nous avons tendance à oublier que, sans le soutien qu'assurent à nos os les tendons, les muscles et les ligaments, nous nous écraserions nous aussi comme un vulgaire paquet d'os. Gringalet sert à rappeler au patient que les os du dos ne constituent qu'une partie d'un ensemble plus complexe. Tout comme Gringalet, les os sont inertes et privés de mouvement. Les muscles sont l'élément moteur du corps humain; grâce à eux, les humains sont des créatures vivantes et capables de mouvement.

Nombre de nos patients sont plutôt inquiets quand ils prennent conscience de la multitude d'os qui composent le dos.

— Je ne vois pas comment je pourrais tout savoir de la colonne vertébrale, me dit Margaret après avoir examiné Gringalet pendant quelques instants. Il m'a l'air d'un compère plutôt compliqué.

— Ne vous en faites pas, lui répondis-je. Nous n'allons pas vous donner un cours détaillé d'anatomie, du genre de ceux que doivent suivre les étudiants en médecine. La physiothérapeute ne vous retiendra que quelques moments pour vous expliquer l'anatomie et la physiologie du dos. Ça vous aidera à mieux comprendre pourquoi nous vous conseillons d'adopter certaines positions, lorsque vous vous reposez, qui favoriseront la guérison de votre colonne vertébrale. Vous apprendrez aussi pourquoi les muscles du dos doivent être maintenus en bonne condition. Cette petite leçon d'anatomie devrait avoir d'heureuses conséquences sur votre état de santé.

Joignons-nous donc à Margaret pour cette petite leçon d'anatomie parce qu'une bonne connaissance du fonctionnement du dos est un préalable quand on veut s'éviter des ennuis dorsaux.

## La colonne vertébrale

La colonne vertébrale est une pure merveille de mécanique biologique qui assure à la fois la force et la stabilité comme aussi la motricité et la flexibilité du corps. La colonne assume essentiellement trois fonctions principales:

1. C'est la charpente maîtresse du corps; elle supporte le crâne et sert de point d'ancrage des côtes, du bassin et des os de l'épaule.
2. Elle fournit de grandes surfaces osseuses pour la fixation des muscles, des tendons et des ligaments qui permettent les mouvements du corps.
3. C'est le siège de la moelle épinière, ce réseau vital de câbles qui relie le cerveau à toutes les parties du corps.

La colonne vertébrale épouse la forme d'un double S et comprend trente-trois petits os, plats pour la plupart, que l'on appelle les vertèbres et qui sont empilées les uns sur les autres, depuis la nuque jusqu'à la base du dos. La colonne vertébrale peut être divisée en cinq parties ou régions:

### La colonne cervicale

1. Cette région comprend les sept vertèbres supérieures qui soutiennent la tête et permettent au cou de se mouvoir de gauche à droite. Parce que d'un signe de tête elles nous permettent de dire oui et non, je les ai surnommées les vertèbres de la négation et de l'affirmation.

### La colonne dorsale ou thoracique

2. Douze vertèbres composent cette région de la colonne et chacune d'elles est rattachée à deux côtes; elles forment ainsi la cage thoracique qui protège les organes vitaux: le cœur et les poumons. Parce que les côtes sont aussi soudées au sternum, cet os du thorax relativement rigide, ces vertèbres sont donc plutôt stables et très peu mobiles.

# LA COLONNE VERTÉBRALE

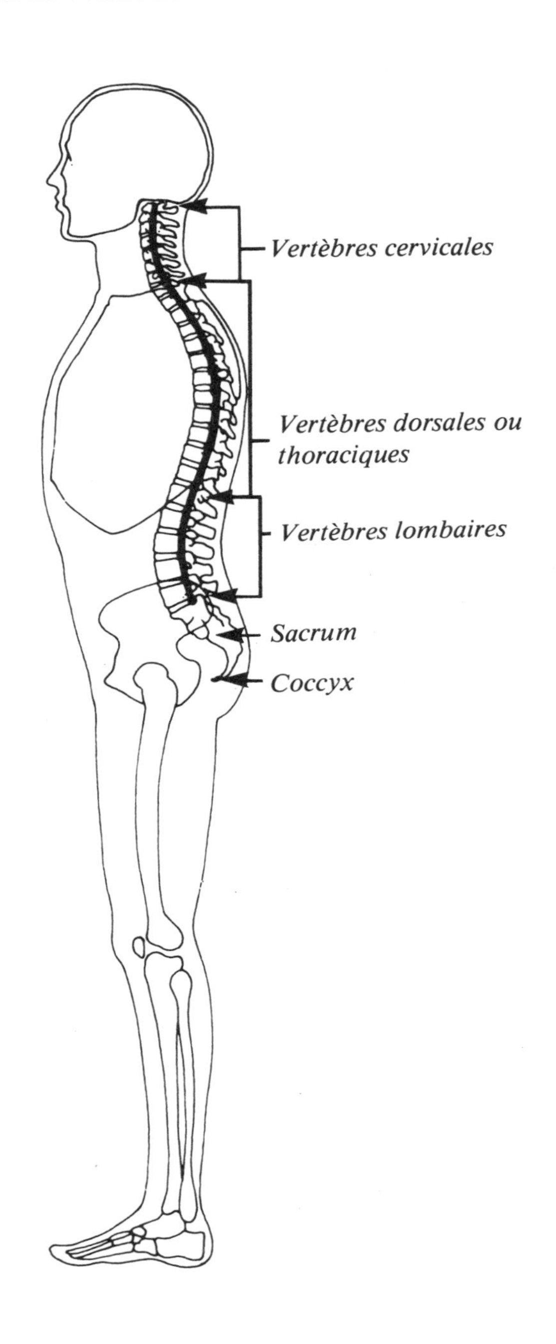

**La colonne lombaire**

3. Les cinq grosses vertèbres qui constituent cette région de la colonne vertébrale au bas du dos sont plus larges et plus lourdes que les vertèbres supérieures, ne serait-ce que parce qu'elles doivent supporter tout le poids du haut du corps. Ces vertèbres inférieures permettent de se pencher vers l'avant et vers l'arrière.

**Le sacrum**

4. Le sacrum se compose de cinq vertèbres distinctes et séparées, formées pendant le développement du fœtus, qui fusionnent finalement en un seul os fixe. Cette structure triangulaire et large est rattachée par le haut à la colonne lombaire et par les côtés au bassin pour constituer ainsi l'assise osseuse de la ceinture pelvienne, très puissante et relativement à l'abri des blessures.

**Le coccyx**

5. On qualifie généralement d'os de la queue ce groupe de quatre os minuscules situés à la base de la colonne vertébrale. Le coccyx nous cause rarement des problèmes, sauf dans le cas d'une mauvaise chute, bien entendu!

## Les vertèbres et les disques intervertébraux

À l'image de la colonne vertébrale considérée dans son ensemble, chacune des parties de la colonne est une merveille de mécanique biologique. Jetons maintenant un coup d'oeil aux vertèbres lombaires, ces os assez complexes qui ont trois fonctions essentielles: supporter le poids du corps, assurer la motricité et protéger la précieuse moelle épinière. Parce qu'une reproduction fidèle d'une vertèbre ne pourrait qu'embrouiller un patient, notre physiothérapeute esquisse plutôt un schéma simplifié au tableau noir. Elle représente de cette façon la plus grande partie de la vertèbre qui est solide, épaisse et la section la plus large de l'os qui excède tant la face postérieure qu'antérieure de la colonne. Elle dessine un carré et signale au patient que cette partie de la vertèbre est conçue pour supporter le poids du corps.

## VERTÈBRES ET DISQUES SAINS

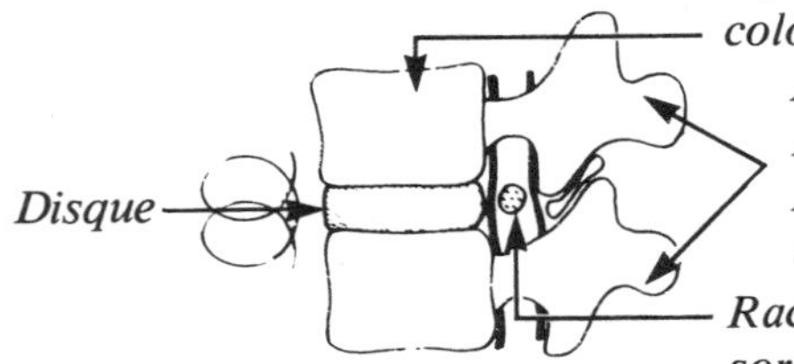


*Le corps de la vertèbre: partie solide et large de la vertèbre qui répartit l'effort sur toute la colonne*

*Apophyses transverses*
*Apophyses épineuses*
*Apophyses articulatoires: elles assurent le mouvement*

*Racines rachidiennes: elles sortent de la moelle épinière*

## RÉACTION DES VERTÈBRES ET DISQUES SAINS AUX EFFORTS EXIGÉS DE LA COLONNE

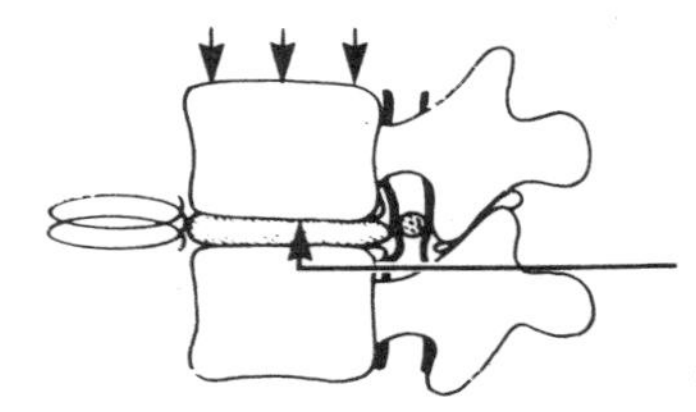

*Sous la pression d'un effort, le disque se comprime comme un ressort; il retrouve sa forme première dès que cesse l'effort.*

Entre chaque vertèbre délimitée par cette partie solide, se trouve un disque intervertébral. La physiothérapeute explique que le disque se compose d'une membrane de couches ligamenteuses, l'anneau fibreux périphérique, qui renferme une matière semblable à de la gelée et que l'on appelle le noyau gélatineux. Les disques qui séparent chaque vertèbre agissent comme des amortisseurs de chocs: ils se compriment lorsqu'il leur faut supporter un poids et retrouvent leur forme originale dès qu'ils en sont libérés. Si la colonne vertébrale était privée de disques, les vertèbres frotteraient les unes contre les autres et s'useraient rapidement. Non seulement les disques servent-ils à séparer les vertèbres, ils agissent aussi comme un système hydraulique: leur composition intérieure gélatineuse distribue en effet la pression exercée par un poids sur l'ensemble de la colonne et du dos, de manière uniforme, dans toutes les directions.

À l'arrière des vertèbres, ou sur leur face postérieure, se trouvent les apophyses épineuses. Les apophyses articulatoires permettent le mouvement; ces articulations fragiles sont reliées à la

## LES VERTÈBRES LOMBAIRES SONT CONÇUES POUR ASSURER LE MOUVEMENT ET SUPPORTER LE POIDS DU TRONC

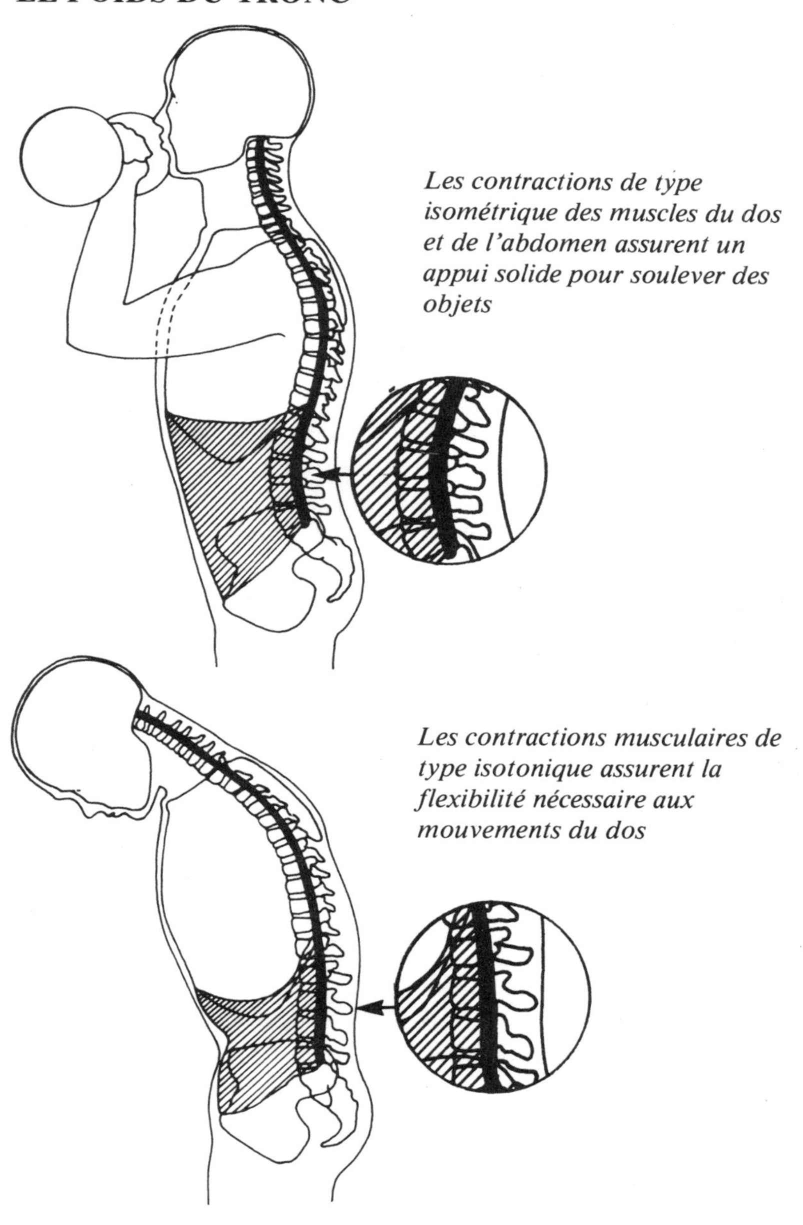

*Les contractions de type isométrique des muscles du dos et de l'abdomen assurent un appui solide pour soulever des objets*

*Les contractions musculaires de type isotonique assurent la flexibilité nécessaire aux mouvements du dos*

face antérieure des vertèbres, massive et qui sert à supporter les poids, par les apophyses transverses. Ces dernières apophyses s'ajustent parfaitement pour former un véritable tunnel osseux qui enserre et protège la moelle épinière: c'est le trou intervertébral.

La moelle épinière est un câble de transmission des influx nerveux adressés par le cerveau à toutes les parties du corps par la voie des nerfs rachidiens dont les racines émergent de part et d'autre de la colonne vertébrale, au niveau de chaque vertèbre. Si vous regardez maintenant le diagramme, vous pouvez comprendre pourquoi une hernie, ou un affaissement discal qui obstrue en partie le trou intervertébral, peut exercer un pincement sur une racine rachidienne et provoquer de la douleur et l'usure du nerf en question.

## Le bloc-moteur du dos

Je vais maintenant concentrer mon attention sur les cinq vertèbres lombaires et le travail qu'elles exécutent. Pourquoi? Parce que ces vertèbres au bas du dos sont les trouble-fête qui causent la plupart des maux de dos. Si vous avez bien en mémoire la cage thoracique ou la région de la poitrine reliée à la colonne, vous vous souviendrez de ce que les vertèbres sont attachées aux côtes et forment ainsi une cage relativement stable, forte et résistante. Inversement, la partie inférieure de la colonne, la région lombaire, est conçue pour assurer le mouvement bien qu'il lui faille aussi servir de point d'appui. Quand vous voyez un danseur ou un gymnaste se pencher ou se tourner avec grâce, ce sont les vertèbres lombaires qui lui permettent ces mouvements. Cette région de la colonne permet de plus au danseur de se tenir immobile en position verticale et de soulever sa partenaire. Si elles sont merveilleusement conçues pour servir d'appui et permettre le mouvement, les vertèbres inférieures ne peuvent toutefois remplir simultanément ces deux fonctions. Ce sont ces propriétés contradictoires qui rendent si vulnérables aux blessures les vertèbres lombaires. J'y reviendrai plus loguement dans un chapitre ultérieur où je traiterai du levage et des flexions du corps.

Superposées les unes aux autres, les cinq vertèbres lombaires constituent une petite colonne d'os qui agissent de concert pour permettre au corps de se pencher vers l'avant et vers l'arrière. Ce bloc-moteur s'ancre sur un solide point d'appui qu'on appelle le plancher pelvien. Un peu comme un mât est rattaché au pont d'un navire par des câbles de hauban, ainsi les vertèbres inférieures sont assujetties au bassin par des ligaments et des muscles.

Le pelvis est une structure osseuse constituée de trois pièces solides qu'on appelle le sacrum et les iliaques. Le sacrum, un os de forme triangulaire, est flanqué de chaque côté par un iliaque qui y est rattaché par des ligaments et qui sont reliés l'un à l'autre à l'avant par un épais ligament très résistant servant d'articulation et que l'on nomme la symphyse pubienne. De chaque côté du bassin se trouvent deux cavités, dites cotyloïdes, dans lesquelles s'engage la tête arrondie du fémur. Ces alvéoles constituent l'articulation de la hanche.

En conséquence, le bassin est la structure qui relie la colonne aux cuisses et aux jambes ou, si l'on préfère, la partie supérieure à la partie inférieure du corps humain. Cette ceinture osseuse massive agit comme une articulation géante ou comme une énorme charnière, un essieu central sur lequel pivote le corps et contre lequel s'exercent, vers le haut, une pression des jambes et, vers le bas, une pression de la colonne. Parce que le bassin est un point central et de raccordement, il s'ensuit que la position du bassin aura une influence certaine sur les vertèbres lombaires situées juste au-dessus. Si le bassin est d'aplomb ou, pour utiliser une expression que je préfère, en parfait équilibre, les vertèbres supérieures se trouveront aussi d'équerre ou en position d'équilibre. Voilà la position la plus saine pour la colonne qui peut alors déployer plus aisément davantage d'efforts tout en étant moins vulnérable aux blessures. Si toutefois le bassin est poussé vers l'avant, les vertèbres qui le surplombent, en raison d'une courbure plus prononcée de la colonne, ne seront plus alignées. Et quand cela se produit, la colonne s'en trouve affaiblie et vulnérable aux blessures puisque les disques intervertébraux sont alors coincés et que peut en découler de l'inconfort au niveau des apophyses articulatoires. Quand la colonne est adéquatement alignée parce que le bassin est en position d'équilibre, la pression qui s'exerce sur les disques s'en trouve diminuée, les apophyses articulatoires sont libérées de tout effort et les racines nerveuses sont parfaitement dégagées.

**LE BASSIN est une assise osseuse solide sur laquelle s'appuient les vertèbres lombaires**

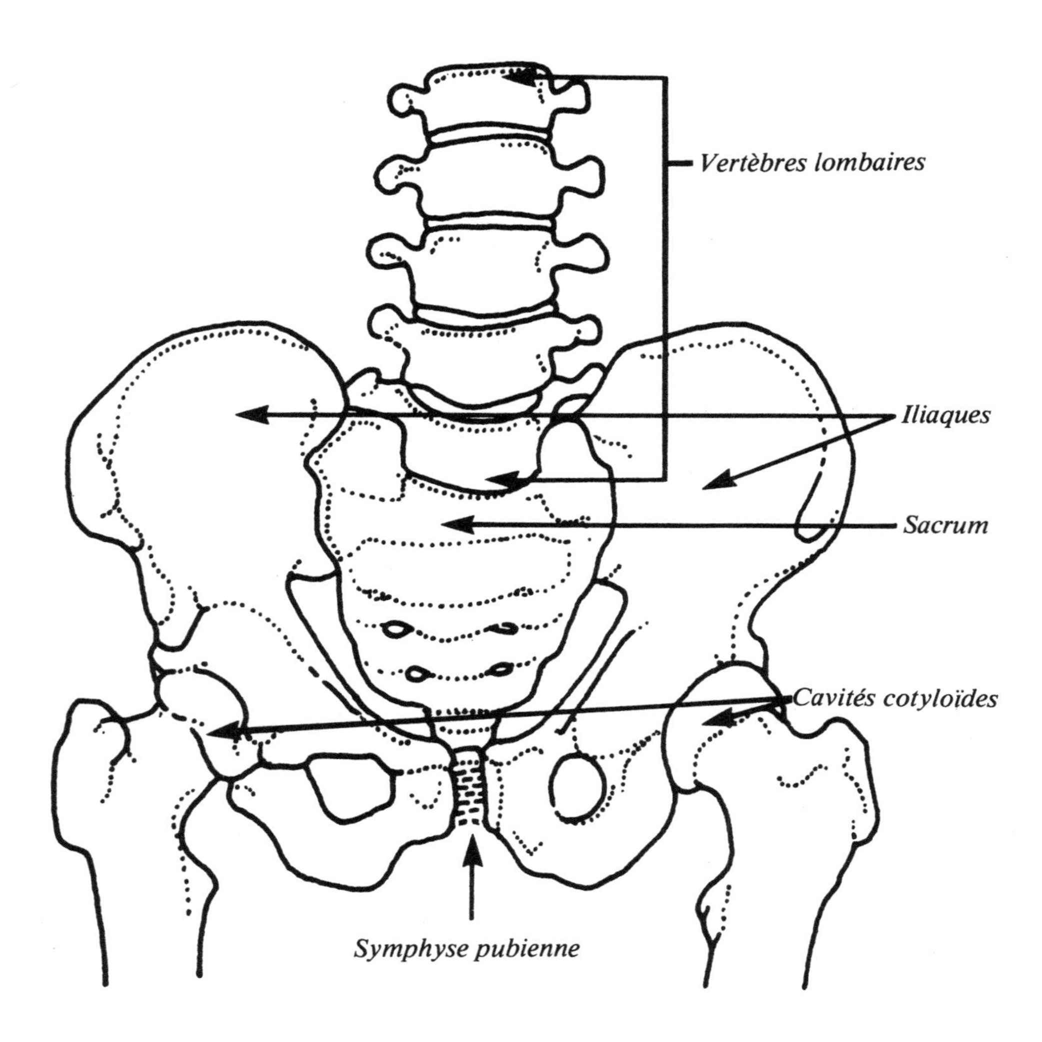


Voilà pourquoi les patients atteints de maux de dos devraient adopter au lit une position qui maintient le bassin en équilibre. Notre physiothérapeute leur apprend à se reposer dans une telle position. Dans un chapitre subséquent, j'approfondirai cette question.

## Autres aspects du mal de dos

Maintenant que je vous ai donné un aperçu rapide de la façon dont fonctionnent les os et les disques de la colonne vertébrale, revenons à notre ami Gringalet. Les ligaments, les cartilages, les tendons et les muscles soutiennent la colonne et vous vous rappelez, j'en suis sûr, que Gringalet est suspendu parce qu'il est dépourvu de ces appuis nécessaires. Les ligaments sont des bandes de tissu solide qui relient un os à un autre; les tendons rattachent les muscles aux os; le cartilage agit comme un amortisseur de choc entre les os et les muscles, enfin, constituent le support dynamique de toute la charpente squelettique.

Les os sont la partie stable et fixe du corps humain. Les muscles en sont l'élément moteur: ils donnent vie et mouvement au corps. Les muscles du dos sont en bonne partie responsables des maux de dos, comme le découvrit Margaret. Ils sont un élément modifiable, sur lequel nous pouvons exercer une influence certaine qui réagit à notre environnement et qui est soumis au contrôle de la volonté. Composés de fibres contractiles qui réagissent à des influx nerveux, les muscles comptent pour 40% du poids total du corps, une grande portion donc de la masse corporelle. Il existe quelque cent quarante muscles reliés à la seule colonne vertébrale et ils remplissent une prodigieuse quantité de tâches.

On pourrait comparer les muscles à de minuscules usines qui transforment des produits chimiques (les aliments et l'oxygène y sont brûlés) en énergie mécanique qui assure le mouvement. Le cerveau, qui agit comme un ordinateur, contrôle les mouvements, formule et envoie des messages aux muscles qui les mettent à exécution. Tout muscle se compose essentiellement de tissu contractile; en peu de mots, il exécute des ordres et réagit en se contractant, en se raccourcissant et en se détendant ou en s'allongeant. Plus un muscle est utilisé ou mis au travail, plus sa force se développe. S'il est sous-utilisé, il s'affaiblit et devient flasque. S'il n'est pas utilisé, il s'atrophie ou dépérit.

Nous allons maintenant nous attarder aux muscles associés à la colonne vertébrale ou qui la soutiennent: les muscles dorsaux. L'expression «muscles dorsaux» peut être trompeuse. En effet, quand nous parlons de muscles dorsaux, nous ne pensons pas uniquement aux muscles situés dans le dos, mais également à des muscles qui *ont partie liée* avec le dos. Les quatre groupes de mus-

**BASSIN REDRESSÉ: dans cette position le dos développe sa puissance maximale**

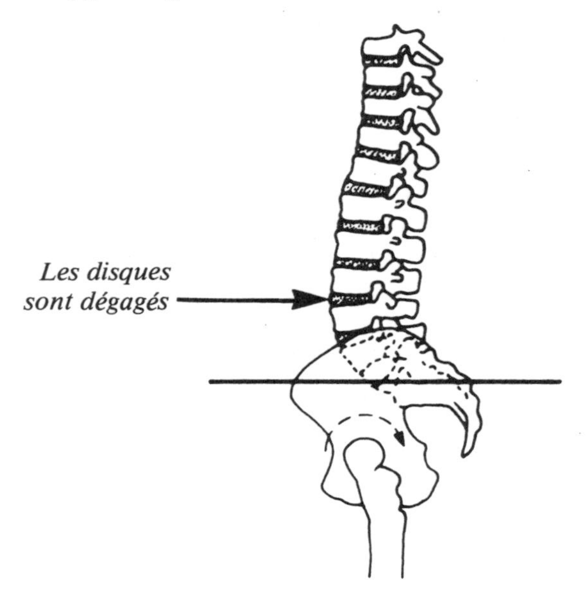


**BASSIN BASCULÉ: position de faiblesse pour le dos alors vulnérable aux blessures**

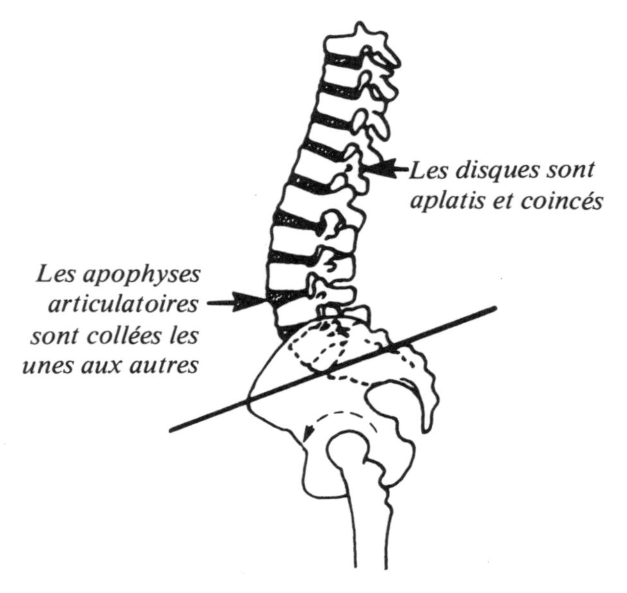

cles que nous disons dorsaux sont synergiques, c'est-à-dire qu'ils travaillent de concert et sont donc interdépendants. Les quatre groupes de muscles en question sont toutefois tous essentiels au bon fonctionnement du dos.

**Les muscles spinaux**

1. Ces muscles dorsaux, qui maintiennent la colonne en position verticale, ne sont pas perceptibles à l'œil nu. Vous pouvez toutefois percevoir leur présence; il suffit de vous tenir debout, les mains posées sur les hanches, les pouces bien appuyés au centre de l'épine dorsale. Ramenez les pouces d'environ trois centimètres vers les côtés; gardez les mains fermement appuyées sur le dos pendant que vous marchez sur place et vous sentirez ces muscles se contracter et se détendre alternativement tout en maintenant bien droite la colonne. Ils assurent le support postérieur du dos et fournissent leur puissance maximale quand vous poussez ou soulevez de lourds objets, lorsque vous vous penchez, que vous arquez le dos ou que vous vous tenez bien droit.

**Les grands droits de l'abdomen**

2. Les gens sont souvent étonnés d'apprendre que ces muscles abdominaux sont des muscles très importants pour le dos. Ces deux bandes ou sangles de muscles courent depuis la cage thoracique, en passant par les côtes, jusqu'à l'avant du bassin et assurent le support antérieur de l'épine dorsale tout en supportant le contenu de la cavité abdominale.

**Les muscles latéraux**

3. Ces muscles sont logés tout contre les parois latérales du tronc. Si vous posez les mains juste au-dessus des hanches, vous sentirez leur présence. Ils sont disposés comme en treillis (comme un tissage, ils s'entrecroisent pour être plus résistants). On retrouve parmi ce groupe les petits et grands obliques et le muscle carré des lombes, qui aident à contrôler les mouvements latéraux de la colonne vertébrale.

**Les muscles de la hanche**

Il existe quatre groupes de muscles qui agissent comme un seul bloc, pour chacune des hanches.

## LES MUSCLES DORSAUX

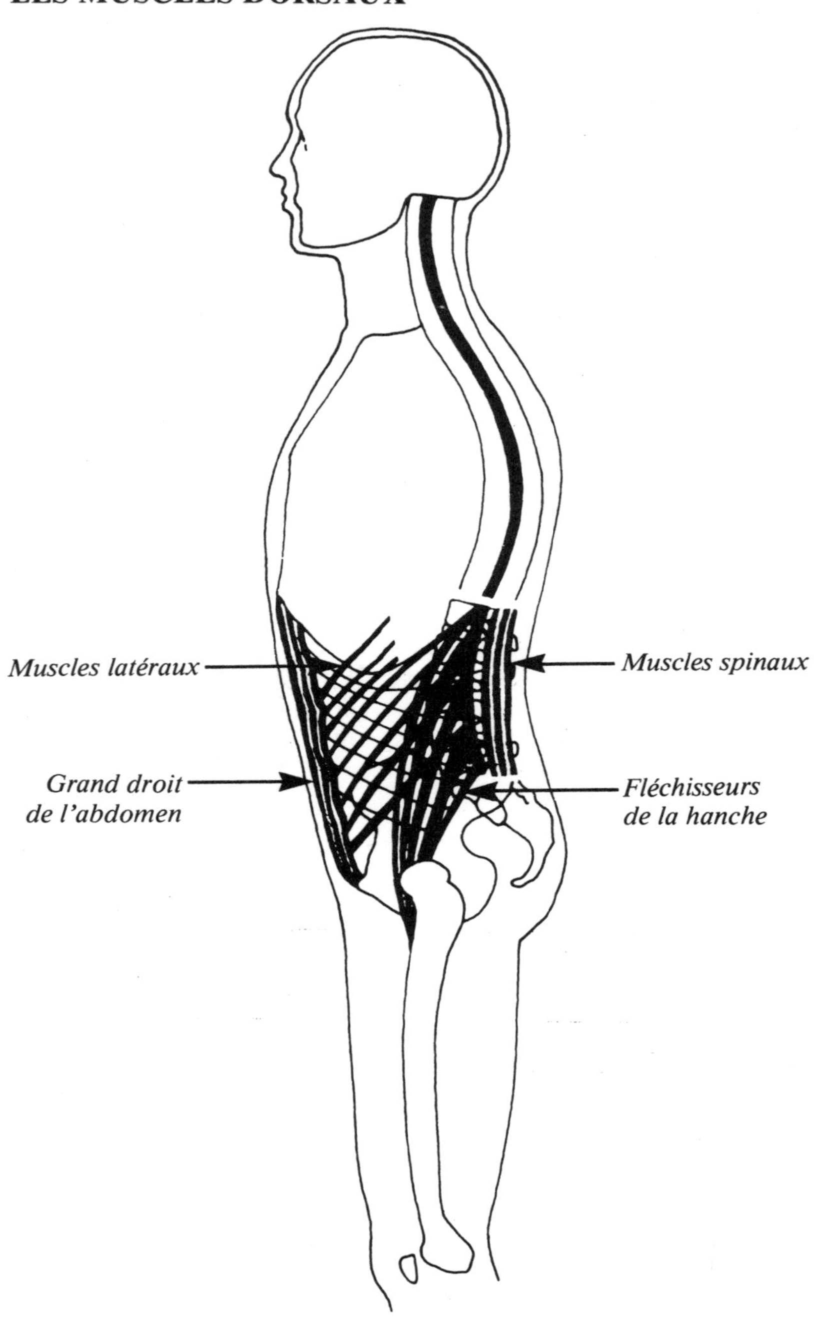

## LE MÉCANISME DU SAC HYDRAULIQUE

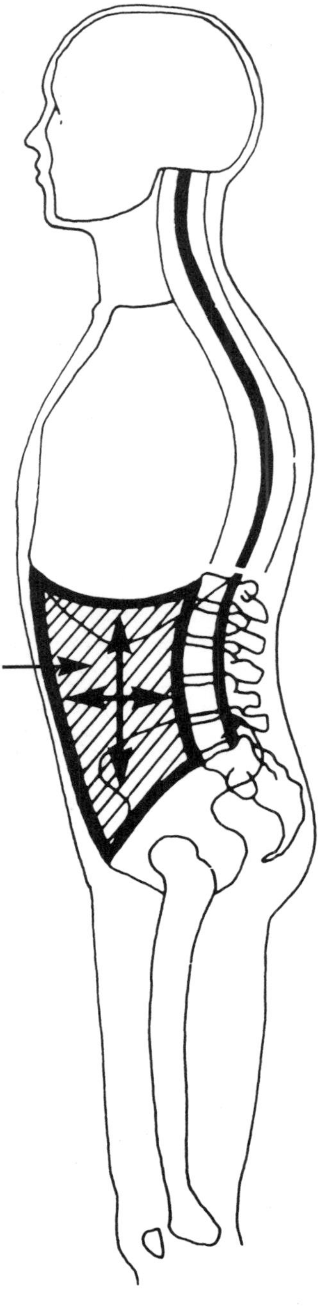

*LA CAVITÉ ABDOMINALE est un sac hermétique qui contient des fluides et de l'air, assure une répartition égale, dans toutes les directions, des efforts exigés pour soulever un objet et apporte ainsi son soutien à la région inférieure du dos.*

- ***Les fléchisseurs de la hanche***
  Logés dans la partie antérieure de la hanche, ces muscles nous permettent de fléchir la jambe au niveau de la hanche. On appelle grand psoas le plus important d'entre eux. Il est situé de chaque côté de la colonne, très profondément enfoui dans l'abdomen, et il court devant le pelvis et l'articulation de la hanche pour s'attacher enfin à la cuisse. Il agit comme une bretelle géante qui empêche le corps de tomber vers l'avant.

- ***Les adducteurs de la hanche***
  Logés dans la partie latérale de la hanche, ils assurent la stabilité de la hanche et vous permettent de garder votre équilibre même quand vous vous tenez sur une seule jambe.

- ***Les adducteurs de la hanche***
  Ces muscles de l'aine assurent la stabilité du bassin et permettent de projeter simultanément les deux jambes.

- ***Les extenseurs de la hanche***
  Il s'agit de muscles massifs situés à l'arrière de la hanche. Le plus proéminent, le grand fessier, nous permet de courir et de gravir un escalier. Quant aux muscles de la loge postérieure de la cuisse qui courent depuis le bas du bassin jusqu'à l'arrière du genou, ils assurent la flexibilité des articulations de la hanche et du genou.

Nous disposons donc de quatre groupes de muscles dorsaux qui travaillent de concert pour soutenir la colonne vertébrale. Imaginez-vous maintenant le bassin en équilibre sur un axe, retenu par le bas par les extenseurs et les fléchisseurs de la hanche et par le haut par les muscles latéraux, de l'abdomen et du dos. Le plancher pelvien sur lequel repose la partie inférieure de la colonne est en conséquence maintenu de niveau ou en équilibre par l'action de la musculature. Si vous n'avez pas oublié que la colonne est parfaitement alignée quand le bassin se trouve en parfait équilibre, vous pouvez déjà comprendre que les quatre groupes de muscles en question sont interdépendants et doivent tous agir adéquatement pour maintenir la colonne en équilibre. Si l'un ou l'autre de ces muscles est affaibli en raison d'un raccourcissement ou d'une élongation, la colonne ne sera pas adéquatement alignée et elle sera soumise à une tension et une fatigue inutiles, ce qui augmentera les risques de douleurs dorsales.

Il existe toutefois un mécanisme fascinant qui procure un support additionnel à la colonne. On l'appelle le mécanisme du sac hydraulique qui est l'œuvre de la contraction coordonnée des muscles de l'abdomen, du dos, du diaphragme et de la partie inférieure du bassin. Quand ces muscles se contractent simultanément, la cavité abdominale qui ressemble à un ballon rempli de fluides, d'air et d'organes, assure un support additionnel à la colonne vertébrale. Par exemple, quand on a recours à la colonne pour soulever un objet très lourd, le sac hydraulique en question aide à répartir l'effort, de sorte que tout le poids de l'objet ne soit pas imposé uniquement à la colonne, mais qu'il soit également supporté par la cavité abdominale. Pour plus de détail, consultez le chapitre 10.

## Le travail des muscles

Comme je l'ai mentionné plus tôt dans le présent chapitre, les muscles se composent essentiellement de tissus contractiles; en fait, ils n'agissent que par contraction ou raccourcissement et par décontraction ou étirement. Penchons-nous maintenant sur la différence qui existe entre une contraction musculaire isotonique et une contraction isométrique. Vous avez sans doute déjà lu ou entendu ces mots à plusieurs reprises, mais en connaissez-vous le sens exact? Isotonique signifie que la tonicité ou la tension est maintenue dans un muscle (de *iso:* égal et *tonos:* tonus). Quand un muscle est soumis à une tension uniforme, sa longueur en est modifiée. Ce type de contraction se produit essentiellement quand les muscles font bouger des articulations. Par exemple, quand nous sautillons en agitant la main en signe d'au revoir, nous exécutons des contractions musculaires isotoniques.

Une contraction isométrique (de *iso:* égal et *metron:* mesure) suppose une modification de la tension musculaire sans qu'en soit modifiée la longueur du muscle. Ce genre de contraction se produit quand nous fermons le poing ou que nous tenons le bras tendu, à l'horizontale. Aucune articulation n'entre alors en mouvement, mais le muscle doit déployer des efforts pour maintenir la position en question.

Vous vous rappelez sans doute que, plus tôt, au cours de mon entretien avec Margaret, je lui ai demandé de serrer le poing et de le garder fermé tout en me décrivant ce qu'elle ressentait. Elle faisait alors une contraction isométrique. Elle sentit d'abord que son poing se mettait à trembler et, après plusieurs secondes, elle ressentit de l'inconfort. Un effort musculaire qui ne donne pas lieu à un mouvement ne peut être maintenu longtemps parce que la circulation sanguine, qui approvisionne le muscle en énergie ou en carburant, est alors interrompue. Il s'ensuit que les déchets organiques s'accumulent dans le muscle et causent finalement de l'inconfort.

Dans le cas d'une contraction isotonique, les muscles bougent et poussent le sang dans le muscle étiré; les déchets organiques sont alors expulsés. Les contractions isotoniques des muscles dorsaux permettent des mouvements du dos du genre de ceux qu'on exige d'un danseur. Les contractions isométriques des muscles dorsaux assurent quant à eux la stabilité du tronc et la force dont a besoin un haltérophile.

**LA COURBE DE BLIX la force musculaire est liée à la longueur des muscles: elle est supérieure dans la position médiane illustrée ci-dessous et réduite lorsque les muscles sont contractés ou étirés**

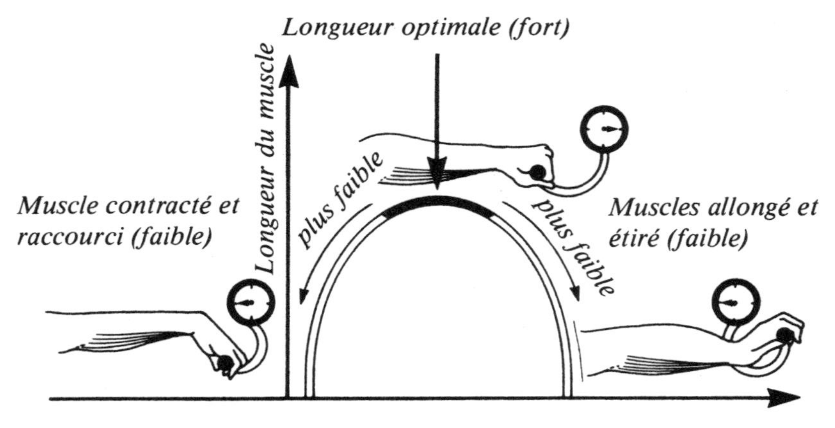

La force d'un muscle est fonction de son volume ou de sa grosseur, et de sa longueur. Ce rapport entre la force et les dimensions d'un muscle est illustré simplement dans le diagramme de la courbe de Blix qui apparaît ci-contre: on y constate qu'un muscle est à son mieux pour ce qui est de sa *puissance* lorsqu'il est à sa *longueur optimale.* Si le muscle est plus étiré ou plus court qu'à sa longueur optimale, il s'en trouve affaibli. Si vous souhaitez vérifier l'exactitude de cette affirmation, essayez donc «l'épreuve du poignet». Tenez le poignet droit et refermez le poing. Remarquez la force et la stabilité du poignet et comme il est facile de serrer le poing quand le poignet est maintenu dans une position qui laisse ses muscles à leur longueur optimale. Repliez le poignet vers l'intérieur du bras et vous constaterez comme il est difficile de fermer le poing quand les muscles sont raccourcis ou qu'ils ne sont plus en position optimale. Vous obtiendrez le même résultat si vous repliez le poignet vers la face postérieure du bras parce que, cette fois, les muscles seront étirés au-delà de leur longueur optimale. Observez aussi comme il faut lutter contre une forte impulsion à remettre le poignet dans la position où il est à la fois plus stable et plus fort.

Considérons maintenant ce qui arrive quand un muscle est étiré à l'extrême, pendant un long moment. Prenons, par exemple, les abdominaux (rappelez-vous qu'eux aussi sont des muscles dorsaux) qui s'étirent et s'affaiblissent pendant la grossesse. Les gens affligés d'un pneu à la ceinture ont aussi des muscles abdominaux relâchés. Si ces muscles se sont étirés et sont donc désormais incapables de soutenir la colonne comme ils devraient le faire, les autres groupes de muscles dorsaux sont forcés de travailler plus fort pour compenser cette défaillance. Les autres muscles se fatigueront donc et se tendront peut-être avant de se retrouver en état de spasme et de provoquer finalement de la douleur. Dans la majorité des cas de maux de dos, c'est la faiblesse d'un ou de plusieurs groupes de muscles dorsaux qui est la cause première du problème.

Un muscle raccourcit ou s'affaiblit quand il reste longuement contracté sans que lui soient permis des mouvements d'étirement. Revenons au cas de Margaret qui nous servira d'illustration. Un muscle blessé se contracte quand il se trouve en état de spasme et, même après que la douleur s'est atténuée, le muscle a tendance à rester faible et raccourci. Je ne pense pas que plusieurs personnes aient conscience qu'à moins de faire de l'exercice pour étirer le muscle blessé et l'aider ainsi à retrouver sa longueur optimale, le dos sera même plus vulnérable qu'avant la crise initiale. Pourquoi? Avant la crise, les muscles dorsaux étaient de la longueur adéquate; après la blessure, les muscles qui ont été soumis à un spasme se seront raccourcis et forceront les autres groupes de muscles à travailler davantage. Une blessure ou un traumatisme soudain au dos, qui se traduit immédiatement par une douleur, est souvent la cause profonde de la première manifestation d'un mal de dos. Et à moins que l'on prenne les moyens nécessaires pour remettre en condition le dos, après que la douleur aura disparu, le dos ainsi affaibli sera prédisposé à des rechutes ou à un mal chronique.

Dans une société sédentaire comme la nôtre, nous sommes tous sujets à des ennuis dorsaux. Privés d'exercice régulier, nos muscles s'étirent et deviennent flasques. Incapables désormais d'une activité violente et soutenue, les muscles seront fatigués et tendus à la suite d'un effort inhabituel. Ainsi que Margaret commençait à le comprendre grâce à notre petit cours d'anatomie, si l'une des causes profondes du mal de dos est la faiblesse des muscles dorsaux, le seul espoir de guérison totale réside dans la remise en condition physique. Voilà pourquoi un médecin ne peut garantir un patient contre de futurs maux de dos à moins que le patient décide de faire sa part du travail. La Méthode d'évaluation de l'état de santé du dos, que vous trouverez dans ce livre, vous permettra heureusement de déterminer rapidement lesquels, parmi vos muscles dorsaux, ont besoin d'être remis en forme. Et il ne vous en coûtera ni beaucoup d'efforts ni beaucoup de temps. De cinq à dix minutes d'exercices simples par jour garderont votre dos en bonne condition, et cela jusqu'à la fin de votre vie. Vous pourrez alors dire sans crainte de vous tromper: «Adieu, maux de dos!»

# 5

# COMMENT SOULAGER UN MAL DE DOS

Quand un patient vient me consulter pour un mal de dos, il n'y a qu'une chose qui l'intéresse: être soulagé de sa douleur. Je ne l'en blâme pas. La souffrance est l'une des pires calamités qui affligent les humains; elle prive les gens de la volonté d'accomplir quoi que ce soit dans leur existence. Pour les malades chroniques, il s'agit d'un problème si débilitant qu'il en devient en soi une maladie et le premier objectif d'un traitement précoce est justement d'atténuer cette souffrance. Comme nous l'avons vu, la douleur peut provoquer un spasme musculaire et le spasme à son tour, dans ce qui devient un cercle vicieux, peut intensifier la douleur. Plus on interviendra précocement pour interrompre ce cycle, plus le dos se remettra rapidement.

La douleur est un phénomène hautement subjectif; chaque patient la ressent différemment, en fonction de la façon dont sa culture et son éducation lui ont appris à la supporter. Ce n'est un secret pour personne que les athlètes professionnels continuent souvent un match en dépit de blessures qui nous mettraient tous hors de combat. Ils ont appris à pousser leur corps aux limites mêmes de ses capacités et à supporter la douleur, anesthésiée en quelque sorte par la fièvre de la compétition. Peu importent les raisons à l'origine de l'attitude du patient, la crainte et l'incertitude lui rendront la douleur plus insupportable. L'autosuggestion positive peut faire des miracles et même l'espoir d'un soulagement peut être d'un grand secours. Je suis sûr que la plupart d'entre vous ont déjà vécu l'expérience suivante: vous vous rendez chez le médecin, perclus de douleur, et vous la sentez s'atténuer, peut-être même disparaître, pendant les quelques minutes que vous passez dans la salle d'attente. Vous êtes alors certain que le médecin vous prendra pour un fou. Mais le médecin comprend que, parce que vous saviez qu'on allait bientôt vous porter secours, vous vous êtes détendu et qu'ainsi la douleur est devenue plus supportable.

Pendant un match de hockey, à l'époque où j'étudiais la médecine, j'ai été frappé au visage par une rondelle qui a fracturé l'os malaire. Je me suis senti pris de panique pendant le trajet jusqu'à l'urgence. J'avais l'œil droit si enflé que je n'arrivais plus à voir et je me demandais si j'allais le perdre. Dès le moment où je me suis retrouvé dans la salle d'urgence, aux côtés d'un médecin, j'ai retrouvé mon calme. En langage psychanalytique, on appelle ça un transfert: ce n'était dès lors plus mon problème, mais celui du médecin.

Il existe trois types de douleur qui peuvent frapper le dos et chacune d'elles est bien particulière et révélatrice d'un mal différent. La première, c'est la *douleur aiguë*, cuisante, intense, soudaine et inattendue, du genre, par exemple, de celle que vous ressentez quand vous vous frappez le pouce avec un marteau. Quand on souffre d'une douleur aiguë, on se trouve dans l'incapacité de se reposer en tout confort et le moindre mouvement imposé à la région dorsale affectée accroît la douleur, parfois au point qu'il est nécessaire de recourir à des médicaments. La *douleur chronique,* celle du deuxième type, est constante, sourde et obsédante, bien que sous l'effet d'une émotion ou d'une excitation l'esprit puisse en être temporairement distrait. Le troisième type de douleur, la *douleur bénigne,* pourrait plutôt être qualifiée d'inconfort ou de raideur. On la ressent souvent en se levant, le matin, et le train des activités quotidiennes l'apaise habituellement. Ce genre d'inconfort nous prévient gentiment que tout ne va pas pour le mieux.

La réaction normale d'un patient à la douleur est de cesser toute activité, c'est-à-dire d'éviter toute activité qui pourrait l'intensifier. On a aussi tendance en pareil cas à immobiliser la région atteinte. Mais la plupart des gens ne réagissent pas de façon normale à une douleur dorsale. Parce qu'il n'est guère pratique d'immobiliser le dos, ils maintiennent leur train-train quotidien et se retrouvent soudain en proie à une crise aiguë de douleur qui les paralyse totalement.

Terrorisé par cette expérience et dans l'espoir de s'éviter une autre crise de douleur aiguë, le patient ne réagira pas comme il le devrait à une douleur chronique au dos: il évitera en effet tout exercice et tout stimulus. Cette réaction, tout indiquée dans les cas de douleur aiguë, ne peut qu'aggraver la douleur chronique. Et la douleur devient alors une véritable obsession.

Parce que je veux rapidement interrompre le cycle de la douleur, je conseille à mes patients d'apprendre à reposer leur dos de la meilleure façon qui soit pour accélérer le processus de guérison. Bien que je n'ignore pas qu'ils ne pourront comprendre le sens de tous mes conseils, particulièrement quand ils sont obnubilés par la douleur, je leur offre tout de même une brève leçon d'anatomie du dos pour qu'ils saisissent en partie du moins l'à-propos de mes conseils. Je tiens aussi à ce qu'ils sachent que l'absence de douleur ne signifie pas que le dos a retrouvé la santé. J'insiste beaucoup sur ce dernier point parce qu'il est absolument nécessaire qu'ils reviennent me consulter pour une évaluation précise de leur condition et quelques instructions concernant des exercices pour le dos qui pourraient s'avérer essentiels. Mais je ne leur recommanderais jamais, pendant une crise aiguë de douleur dorsale, de s'adonner à quelque forme d'exercice ou d'activité qui pourrait aggraver leur mal. Mon principal objectif, au début du traitement, est de soulager la douleur.

## Comment se reposer au lit

Dans le chapitre précédent, j'ai expliqué pourquoi le dos est plus puissant et se porte mieux quand le bassin se trouve en position d'équilibre. Cette position favorise également la guérison d'un dos mal en point.

Au lit, il est très facile d'adopter cette position. Il suffit de s'étendre sur le dos, la tête confortablement posée sur un oreiller et la partie inférieure des jambes supportée par des oreillers glissés sous les genoux pour que le bassin repose bien à plat sur le lit et se trouve ainsi en position d'équilibre. Le matelas devrait être assez ferme pour que le corps ne s'y enfonce pas. Si le matelas est

## POSITIONS RECOMMANDÉES POUR SE REPOSER AU LIT

*Le bassin est redressé*

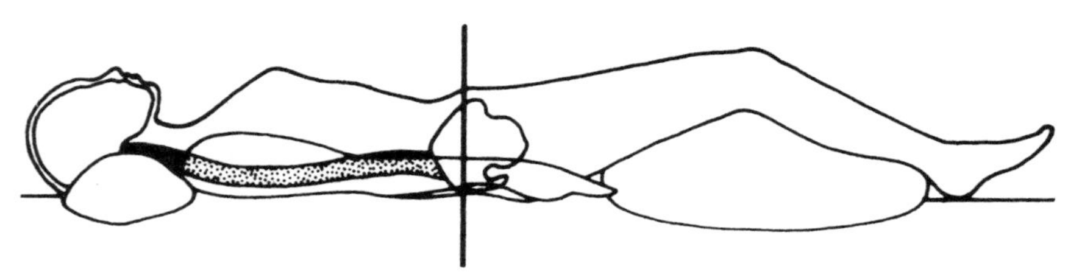

*Le dos se repose: les genoux sont fléchis et supportés par un oreiller*

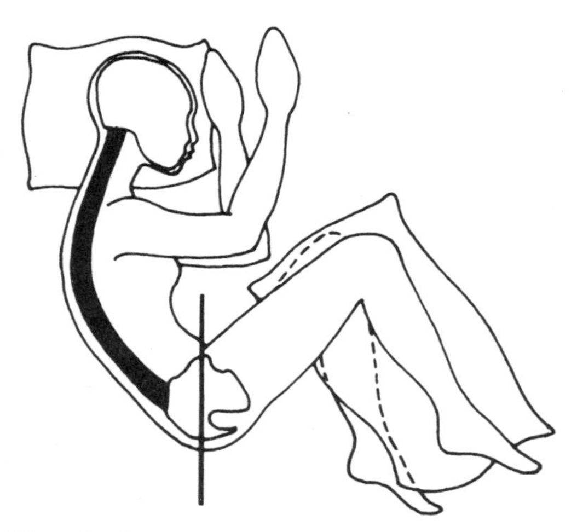

*La position du fœtus: l'oreiller est glissé entre les genoux pour éviter toute torsion de la colonne*

trop mou, une feuille de contre-plaqué, qu'on se procurera à peu de frais, devra être placée sur le sommier.

Plusieurs patients jugent le plancher plus confortable que leur lit. Ils s'étendent à même le sol, la tête et les fesses supportées par des oreillers et les jambes posées sur le lit. Je connais des patients qui dorment souvent toute la nuit dans cette position quand ils sont victimes d'une crise aiguë de douleur dorsale. C'est aussi un moyen efficace de prévention que vous pouvez utiliser chaque fois que vous ressentez des tiraillements au dos, annonciateurs d'une crise. Au lieu d'avoir recours à votre lit, utilisez alors plutôt une chaise. Étendez-vous sur le sol, la tête et les fesses posées sur des oreillers ou des coussins, les jambes repliées sur le siège de la chaise en vous efforçant de glisser le tronc le plus loin possible sous le siège. Vous pouvez regarder la télévision dans cette position, le soir, après une journée exténuante et soulager ainsi votre colonne vertébrale éreinté, tout en vous détendant. On se sent si bien dans cette position que vous en ferez peut-être une habitude.

La position fœtale est un autre moyen de détendre la colonne quand on est étendu au lit. Couchez-vous sur le côté, les hanches et les genoux fléchis en direction du tronc et la tête sur l'oreiller. Glissez un oreiller entre les genoux; ce petit détail est très important parce que ce dernier oreiller supportera le poids de la jambe du dessus et évitera que soit bloquée la circulation sanguine de l'autre jambe.

Peu importe laquelle des deux positions vous adoptez au lit, sachez toutefois qu'il faut en changer souvent. Le corps éprouve tout naturellement le besoin de bouger fréquemment. Des études récentes sur le sommeil ont démontré que, bien que pour la plupart d'entre nous n'avons pas conscience de bouger, notre corps tourne sur lui-même et se contorsionne toute la nuit pendant que nous dormons. Ces mouvements assurent une bonne circulation sanguine et empêchent aussi les articulations et les muscles de s'engourdir. Si vous devez garder le lit à cause d'un mal de dos, la dernière chose que vous souhaitez c'est de sentir *davantage* de raideurs. En changeant de position, vous vous éviterez de l'inconfort et vous permettrez au sang de circuler librement.

Voici un dernier truc pour les gens qui souffrent de spasme intense. Vous pourrez plus facilement sortir du lit si vous vous roulez sur le côté et soulevez le tronc en vous servant de vos deux bras. Vos jambes glisseront ainsi facilement sur le bord du lit et toucheront le plancher sans douleur.

## Comment se soigner à la maison

Il n'y a qu'une règle importante à se rappeler quand on recourt à des remèdes dont on dispose à la maison: s'ils vous aident à mieux vous sentir, utilisez-les; si, au contraire, votre état s'aggrave, discontinuez-en l'usage.

**La chaleur**
Tous les peuples à travers les âges ont utilisé la chaleur comme remède contre la douleur. Même les animaux semblent savoir que la chaleur soulage les douleurs et les maux: observez un vieux chien rhumatisant et vous constaterez qu'il recherche la partie la plus ensoleillée de la cour pour mieux se réchauffer les os. La chaleur intensifie le rythme de la circulation sanguine dans les muscles en sorte que les déchets toxiques sont plus rapidement expulsés. L'un des principaux avantages de la thérapie par la chaleur, c'est sa commodité; utilisez tout ce qui est à la portée de la main dans la maison: une bouillotte, un cataplasme électrique, des serviettes imbibées d'eau chaude ou prenez une douche ou un bain chauds. Les moyens les plus chers pour produire de la chaleur ne sont pas vraiment plus efficaces que les moins coûteux; alors, point n'est besoin de courir au magasin le plus proche pour acheter le plus nouveau gadget.

Pour certaines personnes, la chaleur humide donne de meilleurs résultats alors que la chaleur sèche réussit mieux à d'autres. L'une ou l'autre méthode fera l'affaire, mais assurez-vous que vous l'appliquez assez longtemps pour obtenir l'effet escompté: de quinze à vingt minutes devraient suffire. Rappelez-vous que, peu importe l'impression de confort que vous en tirez alors, votre dos ne doit pas rester trop longtemps dans la même position. Cela pourrait provoquer des raideurs ou de la douleur quand il vous faudra bouger et vous pourriez ainsi vous réengager dans le cercle vicieux du spasme musculaire, de la douleur et encore du spasme.

Pour obtenir de bons résultats, vous devriez utiliser plusieurs fois par jour l'une ou l'autre méthode de thérapie par la chaleur; mais, de grâce, *soyez prudent*! Ne vous installez pas si confortablement que vous vous assoupissiez et que vous vous infligiez des brûlures. À titre de précaution, je suggère à mes patients, surtout ceux qui vivent seuls, de régler leur réveil pour qu'il sonne quinze minutes après le début du traitement. Rappelez-vous aussi qu'il n'est pas nécessaire que la chaleur soit si intense qu'elle cause de l'inconfort. Certaines personnes s'imaginent que plus la chaleur sera intense mieux cela vaudra. Elles ont tort: une douce chaleur sera tout aussi bénéfique.

D'autres gens, tout aussi nombreux, apprécient l'effet lénifiant d'un bon bain chaud; mais, pour plusieurs d'entre eux, les effets positifs d'un tel traitement sont annulés par les douleurs qu'ils s'infligent lorsqu'ils sortent du bain. Encore une fois, sachez bien choisir le traitement qui vous convient. Si un bain vous procure du bien-être et que vous n'éprouviez aucune difficulté à y entrer et à en sortir, alors allez-y sans crainte. Une douche chaude est aussi bénéfique, sans compter que le jet d'eau sur le dos activera la circulation sanguine.

**Le froid**

Quand le dos a subi un traumatisme important et que des vaisseaux sanguins ont été durement mis à l'épreuve, au point que sont apparues des contusions causées par l'éclatement de veines et de petites artères, l'application de compresses froides est le traitement recommandé. Si la chaleur dilate les vaisseaux sanguins, le froid agit exactement à l'inverse! Il aide les vaisseaux sanguins à se contracter et il arrête l'hémorragie. Il aide aussi à soulager la douleur en anesthésiant la région atteinte. Il faut l'appliquer de façon intermittente pendant vingt-quatre à quarante-huit heures après l'apparition de la douleur; par la suite, il faudra plutôt recourir au traitement par la chaleur. Quand il prescrit une thérapie par le froid, le médecin est confronté à un grave problème parce qu'il n'existe aucun moyen de s'assurer que les vaisseaux sanguins se sont réellement déchirés. Pour cette raison, le médecin devra prendre une décision en ne s'appuyant que sur sa seule expérience. Généralement, je préfère opter pour une thérapie par la chaleur: c'est un traitement efficace dans les cas de spasme musculaire, sans compter que les compresses froides sont parfois particulièrement inconfortables. Si vous avez déjà constaté que l'application d'un cataplasme froid au début du traitement vous était salutaire, alors voici un truc pour vous éviter le désagrément d'un lit détrempé et inconfortable: mettez des glaçons dans un sac de plastique, refermez hermétiquement le sac et enveloppez-le dans une serviette légèrement humide avant de placer la compresse de glaçons sur la zone endolorie.

Comme je l'ai déjà précisé, la plupart des gens préfèrent la thérapie par la chaleur; ils la trouvent plus confortable, mais sachez qu'aucune des deux méthodes ne peut vous causer du tort. Rappelez-vous enfin qu'il faut étirer avec précausion les muscles affectés par un spasme, après une application de chaleur ou de froid.

### Les révulsifs

Si l'application de compresses chaudes ou froides ne suffit pas à soulager la douleur, un révulsif pourra vous aider. Le révulsif trouble les terminaisons nerveuses et les distrait en quelque sorte de la douleur. Il provoque aussi une réaction nerveuse qui incite les vaisseaux sanguins à se dilater, un effet semblable à celui que provoque l'application de la chaleur. Je préconise l'usage de crèmes douces pour de légers massages au dos. Il n'y a pas de raison d'utiliser des produits très forts qui peuvent irriter ou même causer de l'inconfort.

### Le massage

Un massage en douceur aide non seulement à dénouer un spasme musculaire, mais il accélère également la circulation sanguine dans les muscles. Les bienfaits psychologiques que procure un massage sont presque aussi importants que ses effets physiologiques. Quelle merveilleuse sensation que de recevoir un massage léger et tout simple appliqué par les mains caressantes d'une personne qu'on aime, dans une pièce bien chaude. Les caresses sur le corps ont un effet apaisant, comme toute mère de jeunes enfants le sait d'instinct. Pareil contact humain exprime à la fois de la sollicitude, de la sympathie et de la consolation qui aident le corps tout entier à se détendre. Un léger massage peut être répété aussi souvent qu'on le désire, sans jamais durer plus de dix minutes, et devrait être caressant et sans douleur.

## Traitements et médicaments spécialisés

### La manipulation

Il ne fait aucun doute que, dans bien des cas, la manipulation peut être d'un grand secours pour le traitement d'une douleur dorsale. La manipulation consiste à soumettre une articulation, par pression ou étirements modérés, à une gamme de mouvements. Dans le cas de subluxation d'une articulation ou de spasme musculaire, la manipulation peut s'avérer très utile. De plus en plus de médecins utilisent maintenant ce traitement pour soigner les maux de dos et c'est la technique essentielle dont usent les chiropraticiens et les ostéopathes. C'est au niveau de la théorie plutôt que de la pratique que se démarquent les chiropraticiens et les médecins qui ont recours à la manipulation. Les chiropraticiens croient que le mal peut être la conséquence d'un brouillage ou d'une interruption des influx nerveux au moment où ils quittent la colonne vertébrale pour se rendre aux organes et aux extrémités du corps. Ils croient que la manipulation de la colonne rendra la santé à la partie concernée du corps. Les médecins, quant à eux, considèrent la manipulation comme un traitement qui réduit l'adhérence des articulations et soulage les spasmes musculaires. Je pense que, quand il est question de manipulation, il ne faut pas perdre de vue qu'un diagnostic précis, en présence d'un problème dorsal, doit être établi avant que ne soit appliqué ce type de traitement. La manipulation — cela devrait être l'évidence même pour quiconque use de gros bon sens — ne peut apporter remède à des conditions pathologiques de l'ordre du cancer et de la tuberculose.

Le chiropraticien n'offre qu'une seule méthode de traitement alors que le médecin en utilise plusieurs. À moins qu'un diagnostic n'ait été posé, le traitement par chiropraxie peut masquer un problème plus grave qui exigerait une thérapie plus spécifique, même s'il assure dans une certaine mesure un soulagement temporaire de la douleur. La manipulation peut d'ailleurs être dangereuse quand certaines maladies sont à la source du mal. Par exemple, quand un mal de dos est causé par une hernie discale grave, l'état du malade pourra empirer si la manipulation provoque une augmentation de la pression qui s'exerce sur la racine rachidienne déjà irritée par le refoulement du noyau gélatineux (du disque intervertébral). Prenons un autre exemple: celui d'un patient souffrant d'ostéoporose, une maladie qui s'attaque aux tissus osseux de la colonne vertébrale. Une trop forte pression sur la colonne pendant une manipulation peut fracturer des vertèbres déjà affaiblies. Ces exemples vous auront aidé à mieux comprendre pourquoi il est si important d'établir un diagnostic précis avant d'entreprendre un traitement de ce genre. J'ai été toutefois témoin de résultats étonnants obtenus par la manipulation.

Un jour, un médecin qui se spécialisait en manipulation, est venu visiter notre Centre de soins du dos. Ce matin-là, un patient se traîna jusque dans mon cabinet, littéralement plié en deux tant il souffrait. Quelques jours auparavant, il avait été victime d'un accident en soulevant un objet trop lourd à la briqueterie où il travaillait. Il avait été transporté chez lui en proie à d'atroces douleurs causées par un spasme musculaire, à tel point que son médecin de famille avait dû lui faire des injections de *Démérol* pour le soulager. J'examinai le patient, puis je suggérai à mon collègue de passage que ce patient pourrait être un bon sujet pour mettre à l'épreuve sa science de la manipulation. Je dois avouer que j'étais alors plutôt sceptique et je présume que cela se voyait. Mon confrère accepta avec empressement de relever le défi et demanda au patient de s'étendre sur la table pour qu'il puisse mieux ausculter son dos. Dès que le patient se fut couché à plat ventre et que mon confrère eut commencé à manipuler sa colonne, j'entendis un craquement terrible suivi d'un cri étouffé. Pris de compassion, je me précipitai pour aider l'homme à se relever.

— Dieu soit loué! lança-t-il en se relevant et se mettant littéralement à sautiller de joie. Dieu soit loué! La douleur a complètement disparu.

Plus tard, dans la même matinée, je pris quelques minutes de détente avec mon confrère et je dus alors ravaler mon orgueil avec quelques gorgées de café.

Ce récit fait bien ressortir le problème auquel est confronté un médecin quand il songe à recommander la manipulation comme thérapie: il lui est très difficile de prévoir à quel patient elle profitera. Permettez-moi simplement de rajouter que, si vous optez pour la manipulation, elle devrait donner des résultats tangibles après trois à six traitements. Si ce n'est pas le cas ou si la douleur s'accentue, c'est de toute évidence que la manipulation ne convient pas dans votre cas et que le diagnostic devrait être reconsidéré.

**Les analgésiques**

L'un des analgésiques les plus efficaces pour le mal de dos est l'aspirine. Dans les cas où le mal est provoqué par une blessure ou une maladie et où il y a inflammation, ce remède peut avoir des effets bénéfiques remarquables, en raison de son action anti-inflammatoire. Si vous en prenez le soir avant de vous mettre au lit, il pourra même aider à atténuer les raideurs et les douleurs que vous ressentez généralement au réveil. Dans les cas de douleur intense au dos, des analgésiques complets, du genre de la codéine, sont administrés en plus de l'aspirine pour obtenir de meilleurs résultats. Les plus nouvelles drogues anti-inflammatoires, comme le phényl Putazone, sont jugées efficaces dans les cas de maladies du dos du genre de la spondylarthrite ankylosante, d'ailleurs provoquée par l'inflammation. Votre médecin pourra vous prescrire l'analgésique qui donnera les meilleurs résultats, compte tenu de votre état.

**Les tranquillisants**

Je prescris des tranquillisants à certains de mes patients qui devront garder le lit pendant une assez longue période. Ils réduisent la tension nerveuse, ce qui aide à dénouer le spasme musculaire. Si les patients craignent de développer une dépendance à ces drogues, je les rassure rapidement en leur disant que, dès l'instant où ils commenceront à se sentir mieux, ils pourront cesser de prendre des tranquillisants. Cela vaut aussi pour les analgésiques: dès qu'ils ne sont plus nécessaires pour vous assurer une bonne nuit de sommeil, discontinuez-en l'usage.

On prend des médicaments et on se soigne à la maison, quand on souffre de maux de dos, pour une raison et une seule d'ailleurs: parce que cela nous aide à nous sentir mieux tout en améliorant notre état. Aucun des remèdes suggérés dans ce chapitre ne guérit un mal de dos; seuls le temps et le repos feront disparaître les douleurs. Vous devez vous rappeler que ces mesures à court terme pour soulager la douleur ne sont valables qu'aussi longtemps qu'elles ne sont pas utilisées pour repousser une action préventive qui aurait des effets à long terme.

Pour mieux comprendre ma dernière affirmation, reportons-nous au cas de ma patiente Margaret. Une semaine après que je l'eus renvoyée chez elle en lui recommandant de s'aliter, elle revint tel que je le lui avais demandé. Son mal de dos avait complètement disparu et, comme il fallait s'y attendre, j'avais devant moi une tout autre femme. Enthousiaste et débordante d'énergie, elle ne prenait plus aucun médicament contre la douleur et elle était pressée de reprendre son travail. J'examinai son dos et je constatai que le spasme musculaire s'était grandement résorbé; sa flexibilité s'était aussi améliorée.

— Même si vous vous sentez en pleine forme, vous n'avez pas encore retrouvé toutes vos forces, lui dis-je. La phase aiguë de la crise est passée, mais vous devrez vous montrer prudente, au cours des prochaines semaines, chaque fois que vous exigerez un effort de votre dos. Je veux que vous reveniez me voir dans un mois. Votre dos devrait alors s'être complètement rétabli et vous pourrez vous soumettre à notre Évaluation de l'état de santé du dos. J'ai idée que vos muscles dorsaux doivent être affaiblis et, si c'est le cas, nous vous montrerons des exercices que vous exécuterez pour renforcer ces muscles et vous éviter une nouvelle crise de maux de dos.

— Comptez sur moi, je reviendrai vous voir, répondit Margaret. Pendant ma convalescence à la maison, un vieil ami est venu me rendre visite. Il souffre de maux de dos depuis déjà dix bonnes années. Le récit de ses déboires m'a tant consternée que je me suis promis de tout tenter pour m'éviter un sort pareil. Le pauvre homme a été opéré à plusieurs reprises et il souffre toujours. Il est à peine plus âgé que moi. Je ne veux pas me retrouver dans cet état-là, pour ça non! Je reviendrai donc dans un mois, docteur.

Le chapitre qui suit illustre notre Méthode d'évaluation de l'état de santé du dos. Pourquoi ne pas vous y soumettre pour mieux évaluer dès maintenant dans quelle condition se trouve votre dos?

# 6

# LA MÉTHODE D'ÉVALUATION DE L'ÉTAT DE SANTÉ DU DOS

La Méthode d'évaluation de l'état de santé du dos se compose de quatre épreuves simples qui vous aideront à déterminer si votre dos est solide et sain ou faible et en mauvaise condition. Les résultats de ces épreuves vous confirmeront peut-être que vous n'avez pas à vous inquiéter; mais il est plus que probable, compte tenu de notre mode de vie actuel, qu'ils vous révéleront que votre dos est vulnérable aux blessures et à la fatigue. Les épreuves en question semblent si aisées au premier coup d'œil qu'il est difficile de croire que tant de gens y obtiennent des résultats insatisfaisants. Si vous avez déjà souffert de maux de dos, préparez-vous au pire, à moins que vous ne vous soyez imposé depuis un programme d'exercices pour vous remettre en forme.

Ces épreuves ont peu de rapport avec les mouvements ou les exercices que vous demande d'exécuter un médecin quand il examine votre dos pour poser son diagnostic. Dans ce dernier cas, ce qui intéresse le médecin et ce qu'il cherche à évaluer, c'est le jeu des articulations, la force musculaire, les réflexes et la sensibilité; d'ailleurs, il procède à ces examens, qui sont de peu d'utilité pour déterminer si le dos est fort ou faible, alors que le patient est en proie à des douleurs dorsales. La Méthode d'évaluation de l'état de santé du dos, par ailleurs, n'est pratiquée que lorsque le dos est asymptomatique ou exempt de douleur, et elle est de loin plus efficace pour jauger avec précision le fonctionnement du dos. Elle vous forcera de reconnaître que la faiblesse musculaire et les raideurs articulaires sont en partie responsables de votre problème dorsal ou, si vous n'avez pas encore souffert d'un tel mal, elle vous signalera que vous courez le risque d'en être victime.

Par le passé, les gens qui souffraient de maux de dos n'étaient aucunement informés de l'état dans lequel se trouvait leur dos. Il ne leur restait qu'à espérer que leur mal n'allait pas empirer. Mais notre Méthode d'évaluation de l'état de santé du dos vous révélera la condition de votre dos et vous pourrez ainsi mieux mesurer les efforts que vous pouvez exiger de lui.

Peut-être n'avez-vous jamais été incommodé par un mal de dos, exception faite de quelques élancements. Dans ce cas, pour quelle raison vous soumettriez-vous à ces épreuves? Avez-vous pensé dernièrement aux ravages dont est responsable notre mode de vie sédentaire? Rappelez-vous que les premiers muscles atteints de dépérissement, quand on ne se tient pas en forme, sont justement les muscles dorsaux et abdominaux. Si ces muscles sont affaiblis, votre dos ne se porte sans doute pas aussi bien qu'il le devrait. Le dos est une mécanique fragile, précise et complexe; il est aussi solide que son maillon le plus fragile, mais sans plus.

Ces épreuves vous révéleront également si vous connaissez bien votre état de santé. Êtes-vous aussi en forme que vous l'étiez par le passé? Vous trouvez normal de faire vérifier votre voiture et de lui assurer une mise au point de temps à autre, pourquoi n'agiriez-vous pas de même pour votre corps? Soumettez-vous donc à ces épreuves et voyez si votre dos se comporte aussi bien qu'il y a quelques années. Sans compter que les épreuves en question sont adaptées aux besoins de tous et chacun et constituent également un précieux outil de comparaison: vous pourrez en effet comparer ainsi l'état de votre dos à celui des gens qui vous entourent.

Une dernière fois, permettez-moi de vous répéter que ces épreuves qui paraissent faciles sont en fait plutôt difficiles, si vous vous y soumettez scrupuleusement en portant attention au moindre détail. En moyenne, une seule personne sur dix obtient la note 1 à ces quatre épreuves, c'est-à-dire la note d'excellence. Rappelez-vous aussi que ces épreuves *ne sont pas* de simples exercices. Si vous obtenez de piètres résultats, poursuivez votre lecture et vous apprendrez quels exercices s'avèrent nécessaires dans votre cas particulier et comment établir un programme bien équilibré de remise en forme. Prenez note que vous ne devez vous soumettre à ces épreuves que si vous ne ressentez aucune douleur au dos.

## La méthode d'évaluation de l'état de santé du dos

### Épreuve A: redressement du tronc

L'objectif principal de cette première épreuve est d'évaluer la flexibilité du dos. L'un de ses objectifs secondaires est d'évaluer la force des muscles abdominaux.

**Position**

1. Étendez-vous sur le dos à même le plancher.
2. Fléchissez les genoux en sorte qu'ils forment un angle de 45°, en vous assurant que vos pieds reposent bien à plat sur le sol.
3. Joignez-les mains sous la nuque.

**Exécution**

1. Lentement et sans à-coups, essayez de relever le tronc pour vous retrouver en position assise, sans que vos pieds ne quittent le sol.
   Si vous ne réussissez pas à vous asseoir sans que vos pieds ne quittent le sol:
2. Croisez plutôt les bras sur la poitrine et tentez encore une fois de redresser le tronc et de vous asseoir. Si vous n'y parvenez toujours pas:
3. Étirez les bras devant vous et tentez une fois de plus un redressement du tronc.

**Mises en garde**

1. Ne tentez pas de mouvement brusque pour vous redresser et ne vous servez pas de vos bras pour projeter la tête vers l'avant. Cette façon de procéder ne pourrait qu'aggraver votre état si vous avez des problèmes au niveau du cou. Pour que l'épreuve soit valide, l'effort doit être fourni lentement et en douceur.
2. Ne glissez pas les pieds sous un meuble et que personne ne maintienne en place vos chevilles. Cette façon de procéder invaliderait l'épreuve. L'épreuve serait ainsi plus facile à passer parce que les muscles des jambes entreraient alors en

action et projetteraient le dos jusqu'en position assise. Un redressement du tronc exécuté de cette façon peut également causer du tort à un dos affaibli.

Le tableau 1 illustre les quatre niveaux d'exécution possibles à l'épreuve A ainsi que la note attribuée dans chaque cas.

**Tableau 1**

| *Note* | *Exécution* | *État de santé du dos* |
|---|---|---|
| 1 | Vous réussissez à redresser le tronc, genoux fléchis et mains derrière la nuque. | Excellent: flexibilité de la colonne et force abdominale satisfaisantes. |

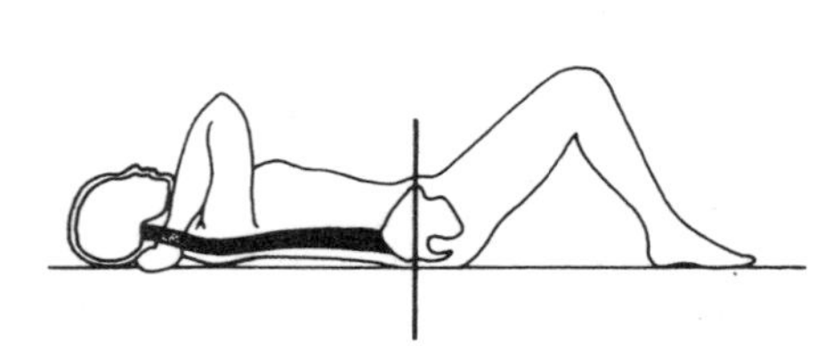

| *Note* | *Exécution* | *État de santé du dos* |
|---|---|---|
| 2 | Vous réussissez à redresser le tronc, genoux fléchis et bras croisés sur la poitrine. | Bon: les abdominaux ont besoin d'être affermis. |

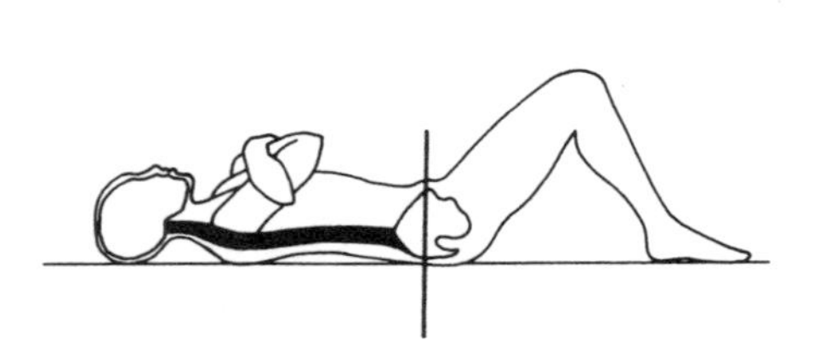

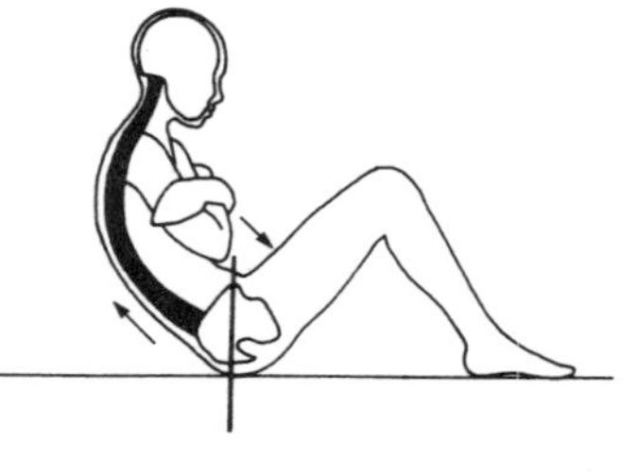

3 Vous réussissez à redresser le tronc, genoux fléchis et bras tendus devant vous.

Passable: il faut améliorer la flexibilité de la colonne et la force des abdominaux.

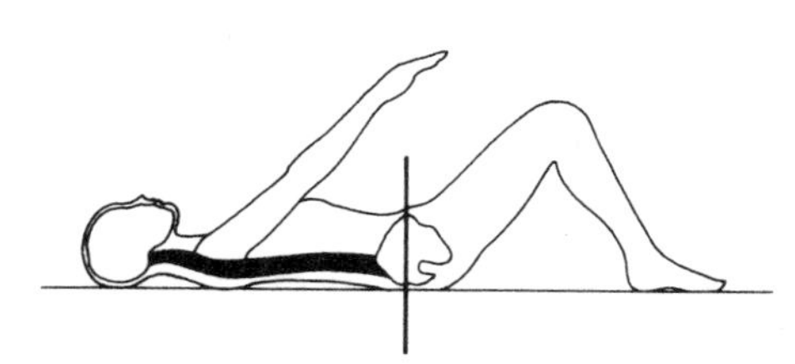

4 Vous ne réussissez pas à redresser le tronc, genoux fléchis.

Mauvais: il vous faut grandement améliorer votre flexibilité et votre force musculaire.

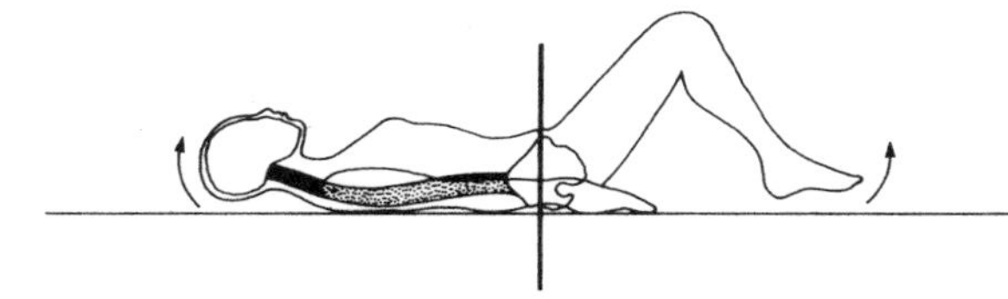

**Interprétation des résultats**

Plusieurs personnes se sentent angoissées quand elles échouent à cette épreuve pourtant simple. C'est particulièrement le cas des personnes d'allure athlétique qui ont l'air bien en forme. Elles oublient toutefois que la flexibilité ou la souplesse du dos sont tout aussi importantes pour une bonne condition physique que des muscles abdominaux très solides. Les gens qui obtiennent de piètres résultats à cette épreuve appartiennent souvent aux catégories suivantes:

- Les personnes âgées dont le dos a tout naturellement perdu de sa souplesse avec le temps.
- Les types musclés qui ont négligé l'importance de la flexibilité et de la souplesse. Ils ont souvent l'impression d'avoir raté cette épreuve parce que le poids de leur torse force leurs pieds à quitter le sol. Les individus qui jouissent d'une bonne flexibilité parviennent toutefois aisément à déplacer le centre de gravité de leur corps, ce qui leur permet de redresser le tronc en dépit du volume de leur torse.

- Les gens atteints par le passé de problèmes dorsaux qui ont eu pour séquelle de résuire peu à peu leur flexibilité.
- Les gens affligés d'un pneu à la ceinture, signe évident d'un piètre tonus musculaire et d'une faiblesse certaine des abdominaux.
- D'ordinaire, les femmes obtiennent de meilleurs résultats que les hommes à cette épreuve, parce qu'elles sont plus souples.

## Épreuve B: élévation des jambes tendues

L'épreuve B permet de mesurer la force des muscles de l'abdomen.

**Position**

1. Étendez-vous sur le sol, les jambes bien tendues.
2. Glissez les mains entre le plancher et le creux au bas du dos.

**Exécution**

1. Réduisez graduellement l'espace qui sépare le creux des reins du plancher en contractant les muscles abdominaux et en pressant fermement le dos contre les mains. Vous devriez éliminer totalement cet espace. Gardez enfin le dos étroitement collé au plancher.
2. Maintenez cette position et soulevez simultanément les pieds d'environ trente centimètres.
3. Tout en gardant les pieds dans cette position et en maintenant le dos bien à plat contre le sol, comptez jusqu'à dix.

**Mise en garde**

Si le bas du dos commence à s'incurver dès que vous soulevez les jambes ou si vous ressentez une douleur au dos, mettez fin à l'épreuve. Dès que le bassin ne se trouve plus en position d'équilibre, l'élévation des jambes peut provoquer une blessure au dos. Rappelez-vous qu'il est ici question d'épreuve et non pas d'exercice. Dès que vous avez établi votre résultat, mettez fin à cette épreuve qui peut s'avérer dangereuse si vous vous y soumettez longuement alors que votre dos est en mauvaise condition.

Le tableau 2 illustre les quatre niveaux d'exécution possibles à l'épreuve B et la note attribuée dans chaque cas.

**Tableau 2**

| *Note* | *Exécution* | *État de santé du dos* |
|---|---|---|
| 1 | Vous réussissez à garder le dos à plat tout en maintenant les jambes soulevées pendant dix secondes. | Excellent: peut signaler que le bassin est en position d'équilibre et qu'il s'y maintient, même soumis à une tension extrême. |
| 2 | Vous réussissez à soulever les jambes pendant plusieurs secondes, mais le bas du dos s'incurve et quitte le sol pendant l'épreuve. | Bon: peut signaler que le bassin est en position d'équilibre, mais qu'il faut renforcer les abdominaux et s'entraîner à adopter un bon maintien, même quand est exigé un effort extrême. |
| 3 | Vous réussissez à soulever les jambes, mais le dos se cambre dès que les jambes sont soulevées. | Passable: il faut vous entraîner à garder la position d'équilibre du pelvis et renforcer vos abdominaux. |

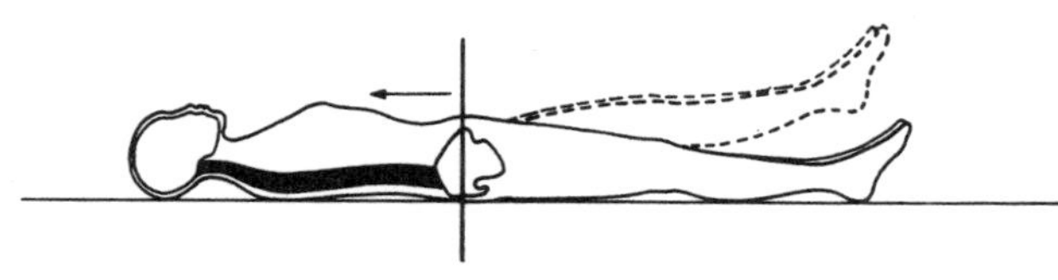

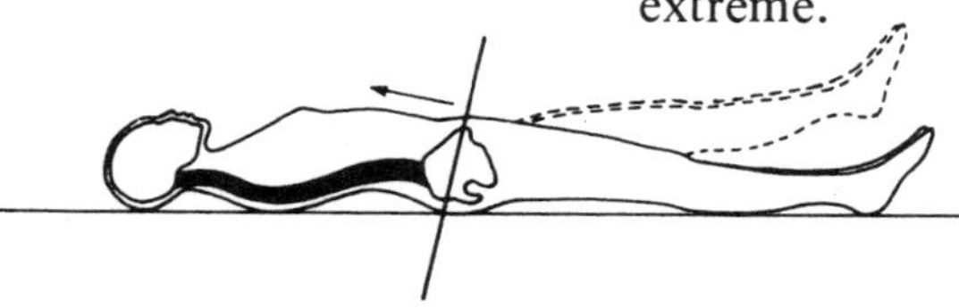

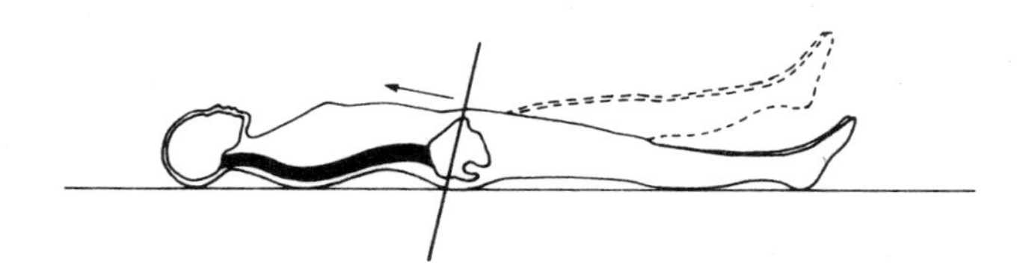

| | | |
|---|---|---|
| 4 | Vous ne réussissez pas à soulever les jambes. | Mauvais: il vous faut de toute urgence apprendre à adopter la position d'équilibre du pelvis et renforcer grandement vos abdominaux. |

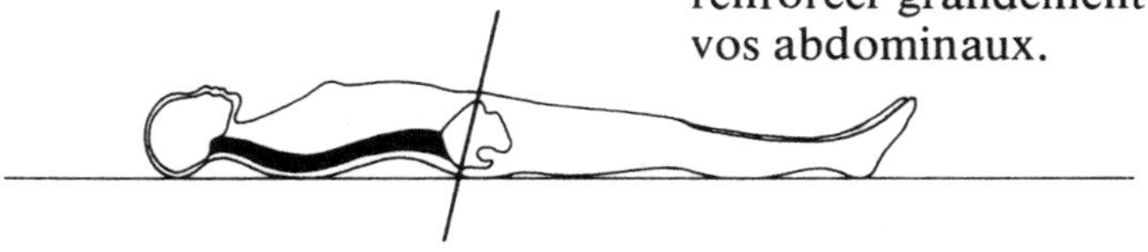

**Attention aux pièges**

L'épreuve sera plus facile si vous relevez la tête. Cependant, pour que l'épreuve ne soit pas invalidée, tout le corps, y compris la tête, doit être maintenu droit. Soulever très haut les jambes facilite également le travail, mais invalide l'épreuve. Il est capital que le creux des reins soit bien à plat, au sol, parce que c'est là l'élément clé qui sert à noter l'exécution. La plupart des gens ont plutôt tendance à se concentrer sur l'effort qu'il leur faut déployer pour soulever les jambes.

**Interprétation des résultats**

À cette épreuve, tous devraient aspirer à la note parfaite. L'âge ne peut constituer un obstacle à l'obtention d'un bon résultat que seuls assurent des abdominaux suffisamment puissants. Cette épreuve permet également de vérifier si les abdominaux peuvent aider à maintenir le bassin en position d'équilibre, même quand ils sont soumis à un effort intense, comme lorsque vous pratiquez un sport violent ou que vous soulevez un objet lourd. Elle permet aussi de voir si vous pouvez garder le dos bien droit et éliminer la courbure du bas du dos tout en ayant les jambes bien tendues. Si vous ne pouvez faire disparaître cette courbure, quand vous fléchissez les genoux, cela signifie que les fléchisseurs de la hanche se sont raccourcis et que vous obtiendrez de piètres résultats à l'épreuve D.

## Épreuve C: redressement latéral du tronc

Cette épreuve a pour but d'évaluer la force des muscles latéraux du tronc et des jambes.

**Position**

1. Vous aurez besoin de l'assistance d'une personne pour compléter cette épreuve. Étendez-vous sur le côté droit, les jambes allongées, et regardez droit devant tous.

2. Croisez les bras sur la poitrine.
3. Demandez à votre assistant d'empoigner vos chevilles pour maintenir vos pieds au sol pendant l'épreuve.

**Exécution**

1. Soulevez lentement et sans à-coups vos épaules et la partie supérieure du corps.
2. Soulevez aussi haut que possible les épaules et comptez jusqu'à dix en maintenant cette position.
3. Revenez à la position de départ.
4. Répétez l'épreuve, mais du côté gauche.

**Mise en garde**

Si vous ressentez de la douleur ou de l'inconfort, mettez fin à l'épreuve.

Le tableau 3 illustre les quatre niveaux d'exécution possibles à l'épreuve C et la note attribuée dans chaque cas.

**Tableau 3**

| *Note* | *Exécution* | *État de santé du dos* |
| --- | --- | --- |
| 1 | Vous réussissez à soulever complètement le haut du corps et à garder cette position pendant dix secondes. 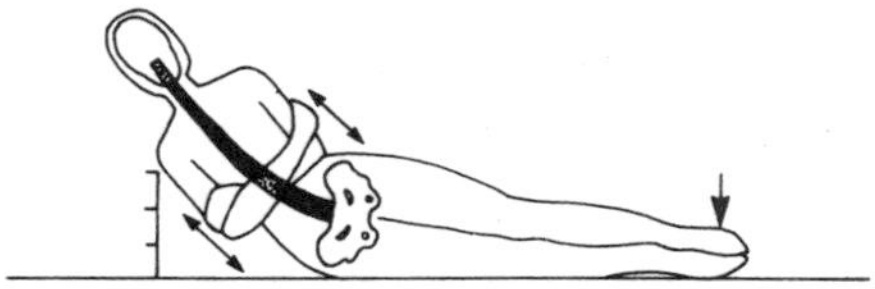 | Excellent: les muscles latéraux du tronc sont en bonne forme. |
| 2 | Vous réussissez à soulever le haut du corps, mais péniblement, et vous ne pouvez maintenir cette position pendant dix secondes. 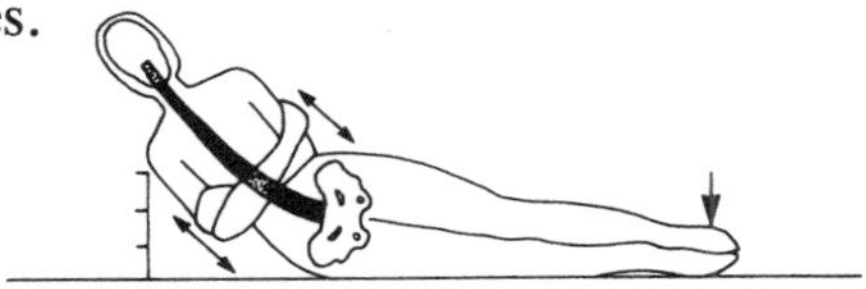 | Bon: il faut renforcer les muscles latéraux du tronc. |

| | | |
|---|---|---|
| 3 | Vous réussissez à soulever le haut du corps, mais vous ne pouvez maintenir cette position. | Passable: il faut renforcer les muscles latéraux du tronc. |
| 4 | Vous ne réussissez pas à soulever le haut du corps. | Mauvais: il faut grandement renforcer les muscles latéraux du tronc. |

**Attention aux pièges**
Ne faites pas de mouvements brusques et ne projetez pas le corps vers le haut; cette façon de faire invaliderait l'épreuve. Il en va de même si vous vous servez du coude pour vous pousser. Veillez à garder le corps parfaitement droit pendant que vous êtes couché sur le côté. Plusieurs personnes font intervenir d'autres groupes de muscles pour s'aider à redresser le tronc, en inclinant le corps vers l'avant ou l'arrière.

**Interprétation des résultats**
Cette épreuve sert à évaluer la force des muscles latéraux du tronc et des jambes qui sont essentiels à la station verticale. Quand vous êtes étendu sur le côté droit, vous mettez à l'épreuve les muscles du côté gauche et vice versa. Les gens qui éprouvent de la fatigue ou de l'inconfort au bas du dos après une séance de jogging, de longues promenades à pied ou après s'être penchés vers l'avant (pour balayer ou ratisser, par exemple) obtiennent généralement de piètres résultats à cette épreuve. Il est important de comparer les résultats obtenus pour les deux côtés du corps. Une exécution médiocre pour un seul côté s'explique souvent par une blessure subie antérieurement et qui avait affligé le seul côté concerné.

## Épreuve D: les fléchisseurs de la hanche

Cette épreuve permet d'évaluer la longueur des fléchisseurs de la hanche (les psoas), ces muscles qui vous empêchent de tomber quand vous vous tenez debout.

**Position**

1. Portez un vêtement ample et étendez-vous sur le sol, les jambes allongées.

**Marche à suivre**

1. Fléchissez le genou droit et ramenez-le en direction de la poitrine.
2. Saisissez à deux mains le genou et complétez le mouvement en appuyant la jambe contre la poitrine.
3. Maintenez le genou collé à la poitrine et évaluez la position de l'autre jambe. Est-elle toujours allongée à plat sur le sol? A-t-elle partiellement ou complètement quitté le sol?
4. Reprenez la position de départ et répétez l'épreuve en fléchissant la jambe gauche, cette fois. Évaluez maintenant la position de la jambe droite.

Le tableau 4 illustre les quatre niveaux d'exécution possibles de l'épreuve D et les points attribués dans chaque cas.

**Tableau 4**

| *Note* | *Exécution* | *État de santé du dos* |
|---|---|---|
| 1 | Vous réussissez à appuyer complètement le genou sur la poitrine et à maintenir l'autre jambe à plat sur le sol. 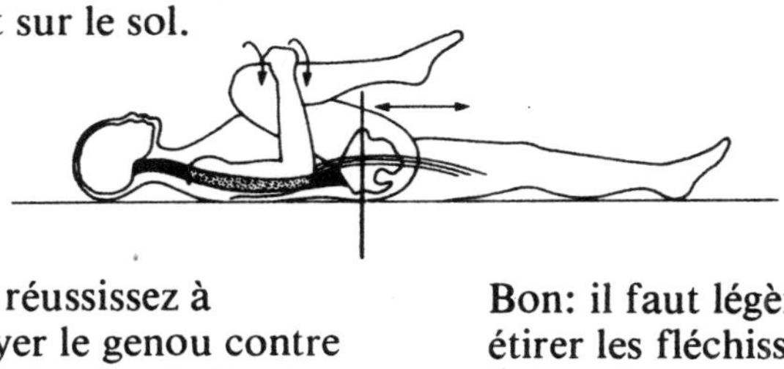 | Excellent: les fléchisseurs de la hanche sont d'une longueur adéquate. |
| 2 | Vous réussissez à appuyer le genou contre la poitrine, mais l'autre jambe quitte partiellement le sol. 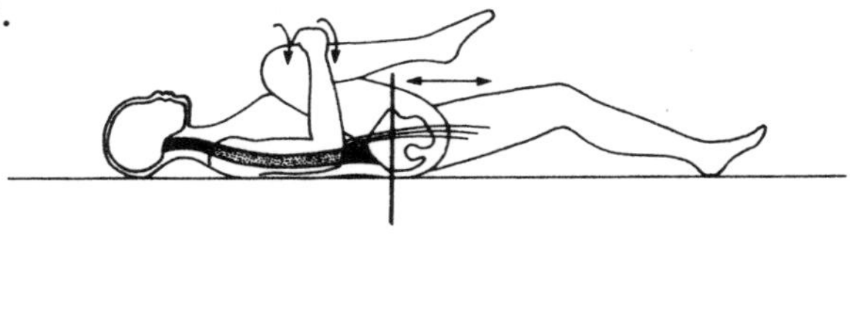 | Bon: il faut légèrement étirer les fléchisseurs de la hanche. |

| | | |
|---|---|---|
| 3 | La jambe quitte complètement le sol quand vous tirez le genou jusqu'à la poitrine. | Passable: il faut grandement étirer les fléchisseurs de la hanche. |
| 4 | La jambe bat littéralement l'air dès que vous forcez le genou en direction de la poitrine. | Mauvais: les fléchisseurs de la hanche sont trop courts; il faudra travailler fort pour les étirer. |

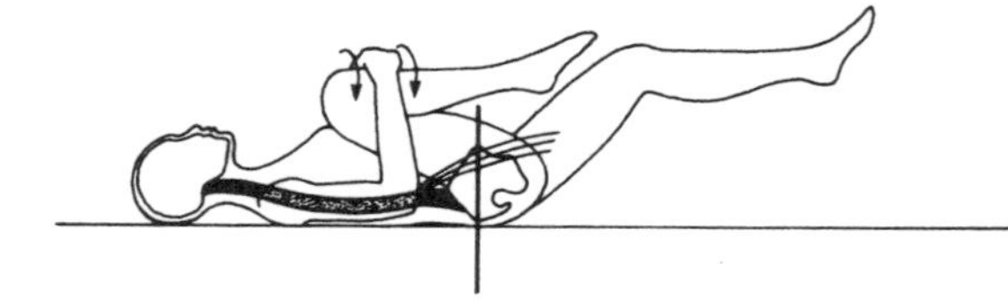

**Attention aux pièges**

La tête doit rester appuyée au sol et le genou doit être maintenu contre la poitrine. La jambe allongée au sol a surtout tendance à se soulever dans la dernière partie de l'épreuve.

**Interprétation des résultats**

Nous savons qu'un muscle raccourci est affaibli. Des fléchisseurs de la hanche trop courts rendent le dos vulnérable aux blessures parce que ces muscles sont essentiels pour lutter contre la force de gravité, pour se maintenir en position debout, pour soulever un objet et pour se pencher. Un raccourcissement bilatéral, c'est-à-dire qui affecte les fléchisseurs des deux côtés du corps, frappe généralement les individus de type athlétique. Ce qui provoque d'ailleurs souvent la «culotte du sportif», cette cambrure prononcée du bas du dos que l'on remarque tant chez les athlètes que chez les danseurs. D'ordinaire, cet état ne cause pas de maux de dos aux athlètes, mais si leurs abdominaux s'affaiblissent ou s'affaissent par la suite et qu'un pneu se forme à la ceinture, ils seront sujets à des problèmes dorsaux. Le raccourcissement unilatéral, ou qui n'affecte que les fléchisseurs d'un seul côté du corps, est souvent la conséquence d'une grave blessure et se manifeste généralement par une douleur qui irradie dans la jambe. Dans un tel cas, on note également un affaiblissement de tous les muscles latéraux.

**Total cumulatif des épreuves**
Servez-vous du tableau qui suit pour faire le total des notes que vous avez obtenues aux différentes épreuves. Encerclez votre résultat à chacune des épreuves.

| | | *Excellent* | *Bon* | *Passable* | *Mauvais* |
|---|---|---|---|---|---|
| Épreuve A<br>Redressement du tronc | | 1 | 2 | 3 | 4 |
| Épreuve B<br>Élévation des jambes | | 1 | 2 | 3 | 4 |
| Épreuve C | D | 1/2 | 1 | 1 1/2 | 2 |
| Redressement latéral du tronc | G | 1/2 | 1 | 1 1/2 | 2 |
| Épreuve D | D | 1/2 | 1 | 1 1/2 | 2 |
| Fléchisseurs de la hanche | G | 1/2 | 1 | 1 1/2 | 2 |

N.B.: Si vous avez plus de 45 ans, soustrayez 2 points à votre total pour établir votre véritable résultat.

Si votre total est de 4 ou 5, votre dos est en excellente santé.
Si votre total est de 6 à 9, votre dos est en bonne santé.
Si votre total est de 10 à 13, votre dos est en assez bonne santé.
Si votre total est de 14 à 16, votre dos n'est pas en santé.

Ces épreuves vous révèlent l'état de santé de votre dos, dans quelle condition précise se trouve cette mécanique complexe. Si vous avez obtenu moins que la note d'excellence, vous devrez vous mettre au travail pour vous éviter des problèmes au dos. Dans le chapitre qui suit, vous trouverez des exercices qui vous aideront à remédier aux carences qui affectent tout particulièrement votre dos.

# 7

# COMMENT FORTIFIER VOTRE DOS MAL EN POINT

Permettez-moi de vous féliciter si vous avez obtenu de bons résultats aux épreuves d'Évaluation de l'état de santé du dos. Il est toutefois plus probable que ce n'a pas été le cas. Consolez-vous, vous n'êtes pas seul: neuf personnes sur dix qui essaient découvrent que leur dos n'est pas en bonne condition. Nos habitudes de vie sédentaire se manifestent surtout de trois façons à ces épreuves: des abdominaux étirés, des muscles latéraux du tronc affaiblis et des fléchisseurs de la hanche raccourcis.

Dans un chapitre précédent, j'ai montré que chacun des muscles du corps est plus efficace à sa longueur optimale. Étiré ou contracté pendant un long moment, le muscle s'affaiblit et devient davantage vulnérable aux blessures et aux spasmes. Remettez donc en bonne condition tous vos muscles et vous réduirez à zéro les risques de maux de dos chroniques qui pourraient dégénérer en troubles beaucoup plus graves et même vous rendre invalide. Mais ne vous tracassez pas plus que de raison: quelques minutes d'exercices simples exécutés chaque jour vous vaudront des résultats étonnants.

Pourquoi les exercices sont-ils efficaces? Parce qu'il s'agit d'un moyen de défense naturel. Notre dos est si important, pour la santé du corps entier et son bon fonctionnement, que la nature l'a doté de muscles solides pour contrer les effets de toutes les formes de tension. Si vous souffrez de spondylarthrite, de dégénérescence discale ou de toute autre maladie du dos qui ne nécessite pas le recours à la chirurgie, un régime approprié d'exercices vous permettra de mener une vie active et sereine. Vous en oublierez même que vous avez déjà connu des problèmes dorsaux.

Le but de ce programme d'exercices de remise en forme que j'expose dans le présent chapitre est de redonner aux muscles leur longueur adéquate. Le programme propose deux types d'exercices: des exercices de *force-endurance,* qui raffermiront et raccourciront les muscles abdominaux et latéraux du tronc qui pourraient être relâchés et des exercices d'*extension-décontraction* qui allongeront les fléchisseurs de la hanche qui pourraient être raccourcis.

Parce que les gens n'ont pas tous les mêmes capacités, le programme d'exercices a été conçu pour s'adapter à des degrés divers de condition physique qui peuvent varier en fonction de l'âge, du sexe et d'efforts antérieurs déployés pour se garder en forme. Depuis que nous avons mis au point la Méthode d'évaluation de l'état de santé du dos, nous avons appris à prévoir ce qui suit pour certaines catégories de personnes:

1. Les gens de 45 ans et plus ont commencé à perdre de leur flexibilité. C'est une conséquence naturelle du vieillissement: le dos raidit année après année. Ces individus auront vraisemblablement besoin d'exercices d'extension-décontraction pour dénouer leurs muscles avant même de pouvoir vraiment tirer profit d'exercices de force-endurance.
2. Nos épreuves ont démontré que, si les femmes sont généralement plus souples que les hommes, elles ne sont pas aussi fortes et ont habituellement besoin d'exercices de force-endurance.
3. S'il est indiscutable que les hommes sont plus forts, ils sont toutefois moins souples que les femmes et ont généralement besoin d'exercices d'extension-décontraction qui amélioreront leur flexibilité.
4. Nous avons aussi pu vérifier que, si les individus de type athlétique jouissent d'une meilleure assise musculaire, certains sports les prédisposent à développer des muscles dorsaux vraiment raccourcis et contractés.
5. Enfin, ceux qui ont connu des problèmes dorsaux et dont le dos s'est depuis remis, non sans que les muscles concernés soient restés contractés et raccourcis, ont d'ordinaire besoin des deux types d'exercices.

Mais qu'en est-il de vous? À quelle catégorie croyez-vous appartenir?

## À vos marques!

Ainsi que nous en sommes tous conscients, ce sont les premiers pas qui coûtent le plus quand on songe à entreprendre un programme d'exercices. Nous avons tous un million d'excuses pour nous défiler et je crois bien les avoir toutes entendues depuis que j'ai ouvert mon Centre de soins du dos. «Je n'ai tout simplement pas le temps», l'excuse la plus courante, est suivie de près par ces deux autres: «Je suis trop fatigué» ou «J'arriverai en retard au travail, si je dois faire des exercices le matin». Les ouvriers de la construction et les ouvriers d'usine sont les plus difficiles à convaincre de la nécessité d'un tel programme. «Mon travail me garde en forme», me disent-ils en exhibant leurs biceps musculeux, mais ils évitent soigneusement d'exposer leur ventre proéminent. Ils ont pourtant fini par atterrir dans ma clinique et je suis parfois forcé de leur rappeler avec tact ce dernier détail. D'autres excuses courantes me sont aussi régulièrement données: «Je souffre d'arthrite, je ne peux donc pas faire d'exercice», «Je suis trop vieux» ou encore, «Les exercices, ça m'ennuie».

On ne peut pas nier un fond de vérité à la dernière excuse: faire de l'exercice, ça n'a rien d'amusant; mais se retrouver cloué au lit, en raison de douleurs au dos, ne l'est pas davantage. C'est vraiment trop bête qu'on ne puisse redonner la santé au dos à l'aide de pilules, d'opérations chirurgicales, de thérapies par la chaleur ou du dernier gadget lancé sur le marché. Comme il est dommage en effet qu'on ne puisse une fois pour toutes s'assurer un dos en parfaite condition. Trop bête aussi qu'il n'existe d'autre remède que l'exercice aux défaillances musculaires. Voici toutefois une bonne nouvelle: même si nous ne disposons d'aucun moyen pour prévenir le vieillissement, les accidents, l'héridité et certaines maladies, nous pouvons à tout le moins lutter avec des moyens efficaces contre l'affaiblissement musculaire. En améliorant l'état de santé de notre dos, nous pourrons nous mettre à l'abri de certains problèmes. Il nous est possible de garder un dos souple et mobile, même si nous vieillissons; nous pouvons nous défendre contre les maladies du dos et arrêter leur évolution; nous pouvons aussi accroître les réserves d'énergie de notre dos et disposer ainsi d'un «coussin de sécurité» qui pourra atténuer les conséquences fâcheuses d'une chute ou d'un faux pas survenu au travail, de cet objet vraiment trop lourd qu'il faut déplacer ou de ce muscle soudain victime d'élongation au gymnase.

Le premier pas pour vaincre l'inaction, c'est de *réaliser* que, si vous avez obtenu un résultat inférieur à celui qui vaut une note d'excellence aux épreuves d'Évaluation de l'état de santé du dos, votre dos a besoin d'exercices réparateurs. La deuxième étape, quant à elle, consiste à *prendre la décision* que vous désirez un dos sain qui ne vous causera pas d'ennuis. La troisième étape consiste à *vous imposer* ces cinq à dix minutes d'exercices nécessaires chaque jour.

Après tout, vous en tirerez de nombreux avantages. Vous serez étonné des effets que vous obtiendrez, même en très peu de temps: votre ventre disparaîtra et vous paraîtrez plus jeune et plus attirant. Votre dos ne vous incommodera plus et vous ne verrez plus la vie de la même manière: vous vous sentirez plus sûr de vous, débordant d'énergie et d'allant. Vous n'avez même pas à vous procurer des vêtements spéciaux ou des appareils pour pratiquer ces exercices que vous pouvez exécuter sans que personne en ait connaissance (vous pouvez même vous y adonner dans votre bureau, si vous le voulez). Et par-dessus tout, ils ne provoquent ni fatigue ni douleur et n'occupent chaque jour que quelques minutes de votre précieux temps. Pourquoi ne pas vous y engager dès maintenant? Dites-vous simplement: «J'en ai besoin, je vais au moins en faire l'essai.»

- Engagez-vous à consacrer à l'exercice de cinq à dix minutes par jour.
- Engagez-vous à faire de l'exercice pendant au moins deux semaines.
- Engagez-vous à faire de l'exercice chaque jour dans la même pièce, sur une surface ferme mais confortable (sur un tapis, par exemple), en ne portant que des vêtements amples, l'estomac vide.
- Engagez-vous à inscrire au tableau qui apparaît à la fin de ce chapitre le nombre d'exécutions réussies pour chaque exercice.
- Enfin, engagez-vous à réévaluer chaque semaine l'état de santé de votre dos et à noter vos résultats sur le tableau inclus en fin de chapitre.

Et c'est parti! Vous serez étonné des résultats que vous constaterez dès la première semaine. Parce que ces exercices paraissent faciles et simples à exécuter, bien des gens s'imaginent qu'ils ne peuvent pas vraiment provoquer de changement notable. Mais je crois fermement pour ma part qu'ils modifieront votre existence.

## Le redressement du bassin

Il est *capital* que vous appreniez d'abord ce que signifie la position d'équilibre du bassin ou, ainsi que plusieurs préfèrent l'appeler, le redressement du bassin, avant d'entreprendre le programme d'exercices de remise en forme. Voici pourquoi: vous ne pouvez vous blesser au dos quand vous maintenez cette position. Comme vous le savez déjà, votre dos dispose de ses capacités maximales quand votre bassin est en position d'équilibre, parce qu'alors la colonne est plus droite, et plus proche de la position dite «au point mort». Vous souvenez-vous de l'épreuve du poignet? Plus la colonne est incurvée, plus ses articulations sont soumises à l'effort et plus elle est vulnérable aux blessures. Plus la colonne est redressée, mieux elle encaisse les fatigues et les tensions quotidiennes.

Bien que la colonne devrait s'appuyer sur un bassin en position d'équilibre vingt-quatre heures par jour, les gens affligés de muscles dorsaux affaiblis sont dans l'incapacité d'y arriver. Leurs muscles ne sont pas suffisamment puissants pour maintenir le bassin dans cette position. C'est pourquoi je ne harcèle pas mes patients pour qu'ils corrigent de mauvaises habitudes posturales, même si je sais qu'un mauvais maintien est un indice sûr d'un dos affaibli. À moins que vous ne soyez physiquement capable de garder la colonne droite, même une pluie de remontrances ne viendra pas à bout de votre mauvais maintien. Mais quand vous aurez raffermi et renforcé vos muscles dorsaux, vous pourrez et devrez mettre en pratique les règles d'un bon maintien. Il s'agit en fait d'un apprentissage tant physique que mental. Si vous avez déjà regardé évoluer avec grâce des danseurs ou des mannequins sur une scène, vous avez alors vu des gens qu'on a entraînés à un maintien gracieux. S'ils ont pu apprendre à se tenir debout et à se déplacer comme il se doit, alors vous le pouvez aussi. Dans un chapitre subséquent, je m'attarderai à la question du maintien. Mais d'ici là, faisons un premier pas en direction de notre objectif: apprenons à redresser le bassin et à le maintenir à tout prix dans cette position pendant les exercices de remise en forme du dos.

Il y a deux façons de parvenir à redresser le bassin:

1. Par une posture du corps: en fléchissant les hanches et les genoux, qu'on soit couché, debout ou assis.
2. Par le contrôle musculaire: en entraînant les muscles abdominaux à redresser le bassin vers le haut et l'arrière, ce qui par ricochet redresse la colonne.

## Comment percevoir le redressement du bassin

Parce que tant de mes patients semblent éprouver des difficultés à apprendre cette position pourtant simple à adopter, je vais vous exposer trois moyens différents d'y parvenir en ayant recours à des postures du corps. Essayez-les! Je tiens à ce que vous perceviez physiquement cette position tout en apprenant à l'adopter.

### Exercices de réchauffement

Maintenant que vous avez appris à bien reconnaître et à sentir quand votre bassin est en position redressée ou d'équilibre, nous pouvons passer aux exercices de réchauffement qu'il vous faudrait exécuter chaque jour, au début de vos séances de remise en forme.

L'exercice qui suit n'a pas pour but de renforcer les muscles dorsaux et vous ne devriez pas les sentir se contracter quand vous l'exécutez. On ne le considère pas comme un exercice difficile, mais plutôt comme un mouvement de bascule volontaire qui a pour but de délester la colonne vertébrale. Rappelez-vous qu'il est essentiel de respirer lentement et profondément pendant tout l'exercice. Ne retenez pas votre souffle, ainsi que le font plusieurs personnes dès qu'on leur demande de rentrer les abdominaux.

## COMMENT PERCEVOIR LE REDRESSEMENT DU BASSIN EN POSITION DEBOUT

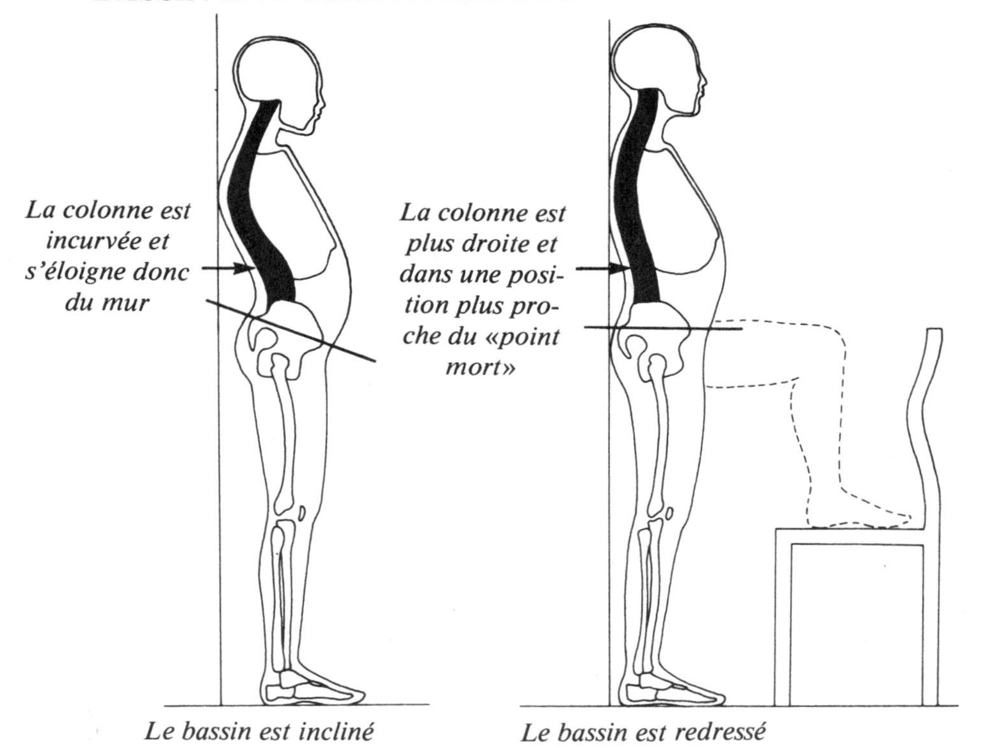


*Le bassin est incliné* *Le bassin est redressé*

**Exécution en position debout**

1. Tenez-vous debout, le dos et les fesses appuyés à un mur.
2. Glissez les mains entre la courbure du bas du dos et le mur.
3. Posez un pied sur une chaise placée en face de vous.
4. Observez bien: votre bassin est maintenant redressé et votre dos s'en trouve plus droit et plus rapproché du mur qu'il ne l'était quand vos deux pieds reposaient sur le plancher. VOTRE BASSIN EST PRÉSENTEMENT EN POSITION D'ÉQUILIBRE.
5. Rentrez bien les muscles abdominaux pour garder le dos dans cette position.
6. Maintenez le bassin redressé tout en ramenant au sol la jambe posée sur la chaise.
7. Faites le tour de la pièce en maintenant cette position.

## COMMENT PERCEVOIR LE REDRESSEMENT DU BASSIN EN POSITION ASSISE

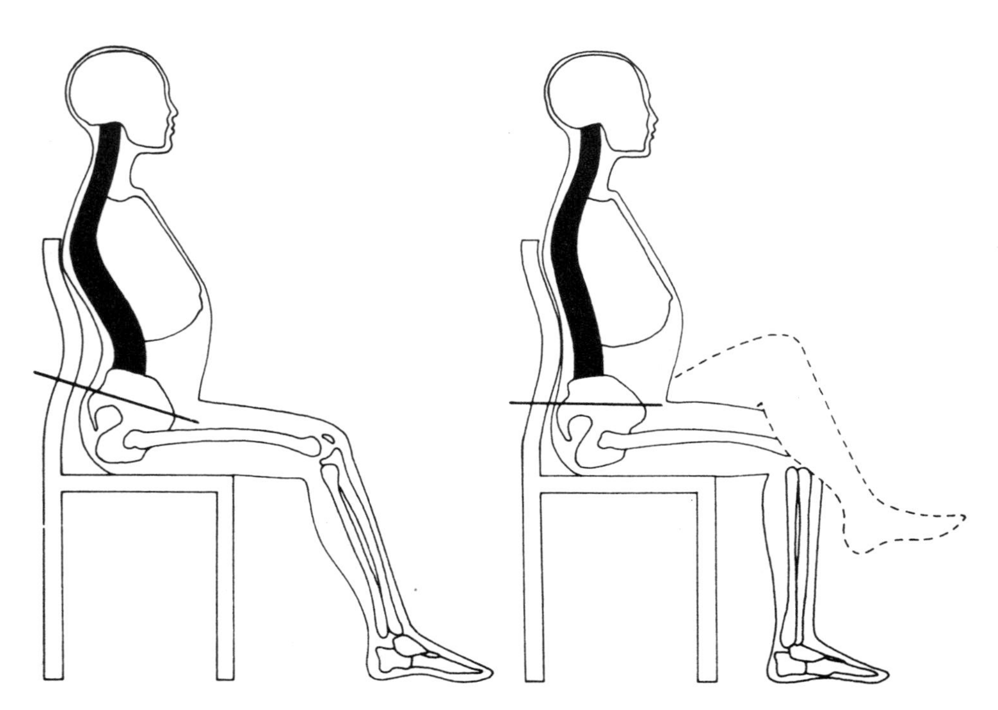

*Le bassin est incliné* — *Le bassin est redressé*

**Exécution en position assise**

1. Assoyez-vous sur une chaise droite.
2. Posez les fesses légèrement en retrait du dossier.
3. Glissez une main entre la courbure du bas du dos et le dossier de la chaise.
4. Croisez les genoux; vous sentirez que le bassin s'appuie maintenant contre la main et le dossier de la chaise. VOTRE BASSIN EST PRÉSENTEMENT REDRESSÉ.
5. Décroisez les jambes et concentrez-vous bien sur le bassin: il s'éloigne graduellement du dossier de la chaise et votre dos commence à s'arquer.

## COMMENT PERCEVOIR LE REDRESSEMENT DU BASSIN EN POSITION COUCHÉE

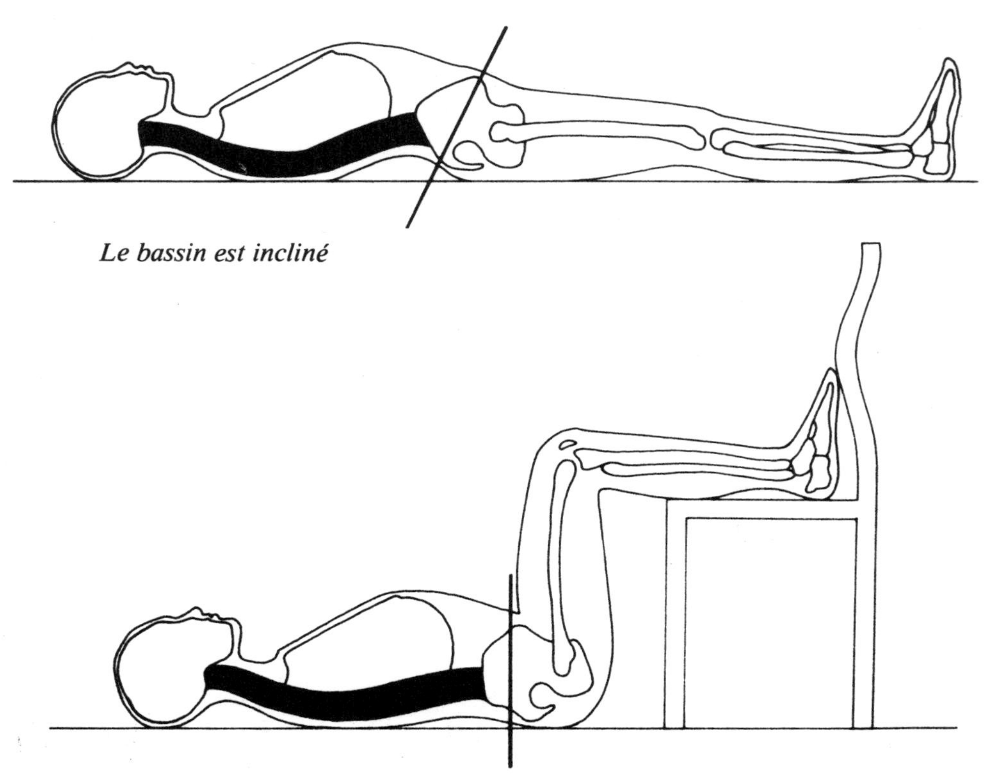

*Le bassin est incliné*

*Le bassin est redressé*

**Exécution en position couchée**

1. Étendez-vous sur le plancher, jambes allongées, sur le dos.
2. Glissez les mains entre le plancher et la courbure du bas du dos.
3. Repliez les genoux et constatez comme le bas du dos est ainsi bien appuyé sur le plancher.
4. Soulevez maintenant les jambes et posez-les sur une chaise; sentez comme tout le dos est bien à plat, qu'il colle aux mains et au plancher. VOTRE BASSIN EST PRÉSENTEMENT REDRESSÉ.

## Redressement du bassin et contrôle musculaire

1. Couchez-vous sur le dos à même le sol et fléchissez les genoux.
2. Glissez les mains entre le plancher et la courbure du bas du dos.
3. Appuyez bien le dos contre les mains en vous servant des muscles abdominaux pour redresser le bassin vers le haut et l'arrière.
4. Contractez ensuite les muscles abdominaux et maintenez cette position en comptant jusqu'à cinq tout en respirant lentement et profondément.
5. Relâchez les muscles de l'abdomen et concentrez votre attention sur le bassin qui quitte sa position d'équilibre.
6. Exécutez cinq fois cet exercice.

## Extension-décontraction du dos en arrondi

Ce deuxième exercice de réchauffement aide à améliorer la mobilité et soulage le bas du dos des raideurs et des tensions.

1. Mettez-vous à quatre pattes, les orteils pointés vers l'arrière et les doigts, vers l'avant.
2. Expirez profondément et courbez le dos vers le bas (à l'opposé de la position d'équilibre du bassin). La tête et le coccyx devraient pointer vers le plafond.
3. Inspirez profondément et arquez le dos (vers le haut) tout en contractant les muscles de l'abdomen et du fessier en sorte que le coccyx et le menton pointent en direction du plancher. Expirez lentement en maintenant cette position et en vous efforçant d'étirer davantage le dos. Comptez jusqu'à cinq. Détendez-vous.
4. Reprenez la position de départ et répétez l'exercice quatre fois.

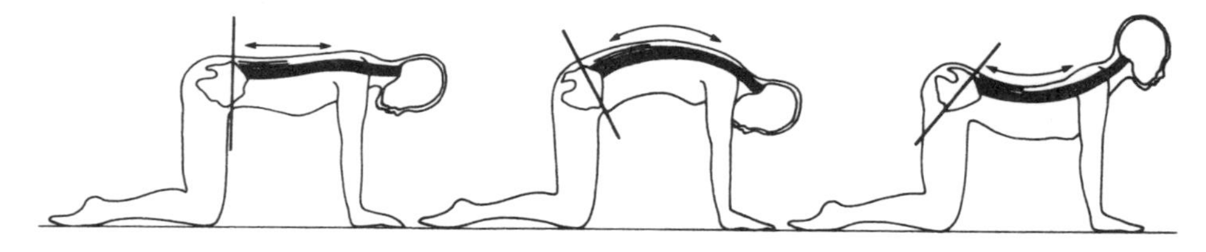

**Mise en garde**

Si vous ressentez de l'inconfort en exécutant cet exercice, ne forcez pas et n'étirez pas le dos au maximum. Procédez plutôt graduellement pour parvenir à une extension maximale.

## Exercices de raffermissement des abdominaux

Maintenant que vous vous êtes réchauffé, passons au Programme de remise en forme.

## Demi-redressements du tronc

Cet exercice s'adresse à ceux qui ont obenu la mention MAUVAIS à l'épreuve B de l'Évaluation de l'état de santé du dos, soit l'élévation des deux jambes tendues. Il vous permettra de pratiquer le redressement du bassin et de renforcer à la fois les abdominaux, en ne faisant que très peu appel au dos.

**Position**

1. Étendez-vous sur le sol, les bras allongés de chaque côté du corps.
2. Fléchissez les genoux pour former un angle de 45° et posez les pieds bien à plat sur le sol.

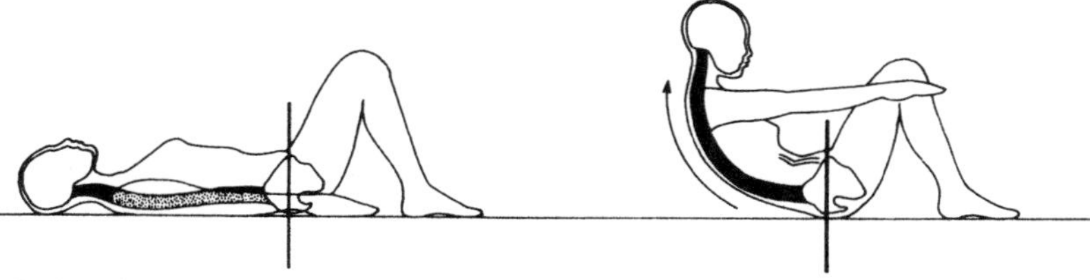

**Exécution**

1. Redressez le bassin.
2. Inspirez profondément en maintenant le bassin en position d'équilibre.
3. Tout en expirant lentement, soulevez graduellement la tête, les épaules et la partie supérieure du dos en décrivant un arc. ATTENTION: Si vos pieds quittent le sol, c'est que vous redressez trop le tronc.
4. Tout en gardant la tête penchée vers l'avant, concentrez-vous pour maintenir le bassin en position redressée et gardez la position en comptant lentement jusqu'à cinq.
5. Inspirez et reprenez la position de départ.
6. Laissez le bassin quitter la position d'équilibre.
7. Exécutez cinq fois cet exercice.
8. Dès que vous parvenez facilement à garder cette position en arc pendant cinq secondes, prolongez-en la durée jusqu'à ce que vous puissiez tenir le coup pendant dix secondes.

**Mise en garde**
Rentrez bien le menton pendant cet exercice. Projeter brusquement la tête vers l'avant peut provoquer une douleur ou de l'inconfort au niveau du cou. Relevez donc lentement et en douceur le dos courbé; si vous tentez de vous relever trop rapidement, vous pourrez ressentir de l'inconfort au bas ou au haut du dos.

**Attention aux pièges**
Ne retenez pas votre souffle; sachez régler votre respiration sur le rythme de l'exercice et les indications données ci-dessus. Ne coincez pas les pieds sous un meuble pour vous aider à vous redresser (ce qui pourrait avoir des conséquences fâcheuses pour un dos affaibli). Ne tentez pas un redressement complet du tronc à cette étape-ci de votre programme d'exercices.

## Renversement du tronc

Cet exercice s'adresse à ceux qui ont obtenu la mention PASSABLE aux épreuves A ou B. Il raffermit graduellement les abdominaux, assure une plus grande flexibilité à la région inférieure du dos et entraîne à maintenir le bassin en position d'équilibre pendant un mouvement de grande amplitude.

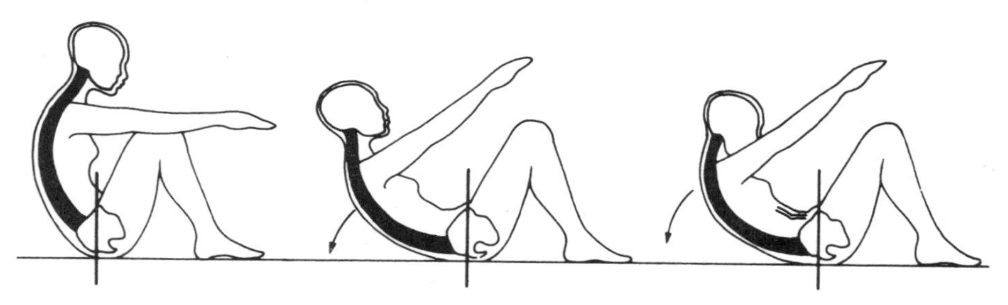

**Position**

1. Assoyez-vous sur le sol, les genoux fléchis à un angle de 45° et les pieds bien à plat sur le plancher.
2. Étendez les bras, droit devant vous.

**Exécution**

1. Inspirez et redressez le bassin.
2. Expirez et renversez lentement le dos jusqu'au plancher en le déroulant, de sorte que chaque vertèbre touche tour à tour le

plancher. ATTENTION: Si vos pieds quittent le sol pendant cet exercice, laissez-vous rouler sur le plancher comme un ballon.

3. Reprenez la position de départ en vous servant de vos bras pour vous rasseoir.
4. Exécutez cinq fois cet exercice.

**Mise en garde**

Si vos pieds quittent le sol, c'est que votre colonne manque de souplesse et que vous devriez, pendant quelques semaines supplémentaires, augmenter le nombre d'exécutions des exercices de réchauffement. Si vous éprouvez une douleur pendant l'exécution de cet exercice, assurez-vous que vous maintenez bien le bassin en position d'équilibre.

**Attention aux pièges**

Ne coincez pas les pieds sous un meuble pour les garder au sol. Cette façon de procéder ferait travailler d'autres muscles que les abdominaux et pourrait causer du tort à un dos affaibli.

## Redressement du tronc jambes fléchies

Cet exercice s'adresse à ceux qui ont obtenu la mention BON aux épreuves A ou B. Il raffermit graduellement les abdominaux et accroît la flexibilité de la partie inférieure du dos.

**Position**

1. Couchez-vous sur le dos à même le sol, genoux fléchis à un angle de 45°.
2. Écartez les jambes d'environ vingt centimètres et posez les pieds bien à plat sur le sol.
3. Tendez les bras à angle droit devant le corps (et non pas au-dessus de la tête).

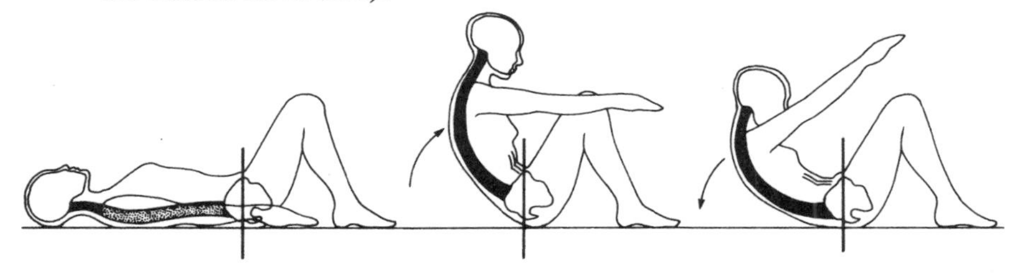

**Exécution**

1. Respirez profondément, expirez lentement et redressez le bassin.
2. Tout en gardant les pieds au sol, relevez lentement le tronc jusqu'en position assise.
3. Expirez profondément, ramenez lentement et en douceur le tronc jusqu'au plancher, en courbant bien le dos et en gardant le menton bien appuyé sur la poitrine.
4. Reposez-vous un instant, puis répétez quatre fois le même exercice.

**Mise en garde**

Si vous ressentez une douleur, assurez-vous que vous avez bien maintenu le bassin en position d'équilibre pendant tout l'exercice. Si vous ressentez beaucoup d'inconfort, réduisez le nombre d'exécutions.

**Attention aux pièges**

Sachez régler correctement votre respiration pendant cet exercice et assurez-vous de l'exécuter en douceur et sans précipitation. Les gens ont tendance à déployer un gros effort pour exécuter rapidement de nombreux redressements du tronc, en se servant d'ailleurs de cette force d'impulsion pour s'aider à relever le tronc. Rappelez-vous que dix redressements exécutés lentement valent mieux que cent redressements exécutés à toute vapeur. Si vos pieds quittent le sol, augmentez le nombre d'exécutions des exercices de réchauffement.

**Variantes**

Quand vous serez parvenu à exécuter avec aisance cet exercice, vous pourrez mettre vos muscles à plus rude épreuve en pratiquant les exercices suivants:

1. Exécutez le redressement du tronc, les bras croisés sur la poitrine.
2. Plus tard, croisez plutôt les mains derrière la nuque. Rappelez-vous toutefois qu'il ne faut pas projeter la tête vers le haut en vous servant de vos mains; cette façon de procéder provoque des douleurs au cou. Exécutez lentement et en douceur chaque mouvement — ne vous redressez pas trop rapidement.

# Exercices d'extension des fléchisseurs de la hanche

## Flexion du genou sur la poitrine

Cet exercice s'adresse à ceux qui ont obtenu la mention MAUVAIS à l'épreuve D, servant à l'évaluation des fléchisseurs de la hanche. Il s'agit essentiellement d'un exercice d'extension qui peut s'avérer très utile le matin, si vous souffrez de raideurs quand vous vous réveillez. Il met à l'œuvre les vertèbres inférieures et étire les muscles du dos qui se sont ankylosés pendant la nuit.

**Position**

1. Couchez-vous sur le dos à même le sol, la tête posée sur un oreiller.
2. Fléchissez les jambes à un angle de 45°, les pieds bien à plat sur le plancher.

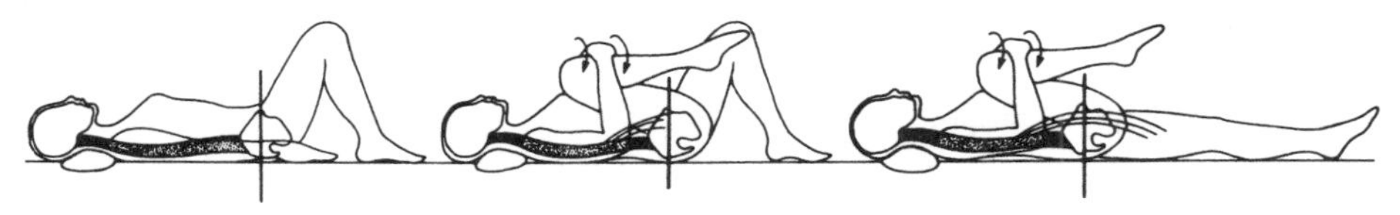

**Exécution**

1. Redressez le bassin en expirant profondément.
2. Maintenez le bassin dans cette position, inspirez profondément et, tout en expirant, amenez lentement un genou contre la poitrine.
3. Empoignez le genou sous la rotule et maintenez-le bien appuyé sur la poitrine en comptant jusqu'à cinq.
4. Concentrez votre attention sur les muscles contractés de la jambe qui se détendent lentement.
5. Libérez votre jambe et ramenez-la lentement en position de départ tout en inspirant profondément et en maintenant le bassin redressée.
6. Laissez basculer le bassin.
7. Répétez l'exercice, mais en changeant de jambe.

**Mise en garde**

Le bassin doit rester en position d'équilibre pendant que vous ramenez la jambe au sol. N'oubliez pas de tirer le genou jusqu'à la poitrine sans donner d'à-coups brusques; un étirement ou un effort brutal peuvent provoquer de l'inconfort.

## Extension de la hanche

Cet exercice s'adresse à ceux qui ont obtenu la mention PASSABLE à l'épreuve D, celle des fléchisseurs de la hanche. Il allonge les fléchisseurs raccourcis de la hanche et vous entraîne à déployer l'effort nécessaire pour redresser le bassin, sans quoi vous ne pourriez adopter un bon maintien.

**Position**

1. Couchez-vous sur le sol, la tête posée sur un oreiller, les jambes écartées et les bras allongés de chaque côté du corps.
2. Fléchissez les genoux à un angle de 45° et posez les pieds bien à plat sur le sol.

**Exécution**

1. Expirez profondément et redressez le bassin.
2. Tout en maintenant le bassin redressé, inspirez d'abord profondément, puis expirez et portez un genou en direction de la poitrine.
3. Empoignez le genou sous la rotule et maintenez-le appuyé contre la poitrine en dépliant l'autre jambe et en l'allongeant ensuite sur le sol.
4. Gardez cette position et comptez jusqu'à cinq. Vous ressentirez un tiraillement au niveau de l'aine.
5. Ramenez la jambe en position fléchie.
6. Relâchez le genou que vous teniez fermement et ramenez-le en position de départ tout en inspirant profondément.
7. Laissez basculer le bassin.
8. Répétez cet exercice, mais en changeant de jambe.
9. Exécutez dix fois cet exercice pour chacune des jambes.

**Mise en garde**

Si l'exercice est mené trop brusquement ou trop tôt après que vous avez subi une blessure au dos, il pourra provoquer de la douleur. Un inconfort supportable peut toutefois se manifester lors des premières exécutions. Si c'est le cas, détendez-vous, puis procédez de façon plus graduelle.

**Attention aux pièges**

Veillez à ce que le genou reste appuyé contre la poitrine. Gardez le bassin redressé, tout spécialement quand la jambe opposée est allongée sur le sol. Vous constaterez que le dos a tendance à s'arquer; résistez à cette impulsion, sinon les effets bénéfiques de l'exercice seraient annulés et vous pourriez être victime de vives douleurs.

## Extension maximale de la hanche

Cet exercice s'adresse à ceux qui ont obtenu la mention BON à l'épreuve D, celle des fléchisseurs de la hanche. Il allonge les fléchisseurs de la hanche.

**Position**

Couchez-vous sur le bord d'un lit ferme, genoux fléchis à un angle de 45°, les pieds posés à plat sur le lit.

**Exécution**

1. Expirez profondément et redressez le bassin.
2. Empoignez un genou sous la rotule et amenez-le tout contre la poitrine en inspirant profondément.
3. Expirez profondément tout en laissant pendre l'autre jambe hors du lit.
4. Maintenez cette position pendant cinq secondes et laissez ensuite la jambe sans appui s'allonger vers le bas, en direction du plancher.
5. Ramenez les jambes en position de départ.
6. Laissez basculer le bassin.
7. Exécutez cinq fois cet exercice, puis allez de l'autre côté du lit (ou pivotez sur vous-même) et répétez cinq fois en faisant travailler l'autre jambe.

**Mise en garde**

La jambe fléchie doit être fermement maintenue tout contre la poitrine, sinon le dos s'arquera et se trouvera en position de vulnérabilité.

**Attention aux pièges**

N'exercez pas de pression sur la jambe sans appui pour qu'elle s'allonge vers le bas; laissez plutôt son poids et la force de gravité l'attirer en ce sens. Souvenez-vous d'expirer profondément: de cette façon, les muscles s'étirent et se relâchent plus complètement.

## Exercices pour les muscles latéraux du tronc

### Élévation latérale de la jambe

Cet exercice s'adresse à ceux qui ont obtenu la mention MAUVAIS à l'épreuve C, destinée à évaluer les muscles latéraux du tronc. Il est conçu pour renforcer les muscles latéraux du tronc et des jambes. Bien des blessures provoquées par de mauvaises techniques de levage affaiblissent les muscles latéraux du tronc, spécialement du côté où le dos a été incommodé.

**Position**

1. Couchez-vous sur le côté gauche, à même le plancher, le bras gauche replié pour supporter la tête et le bras droit servant d'appui pour maintenir le corps en équilibre.
2. Assurez-vous que le tronc et les jambes sont parfaitement alignés.

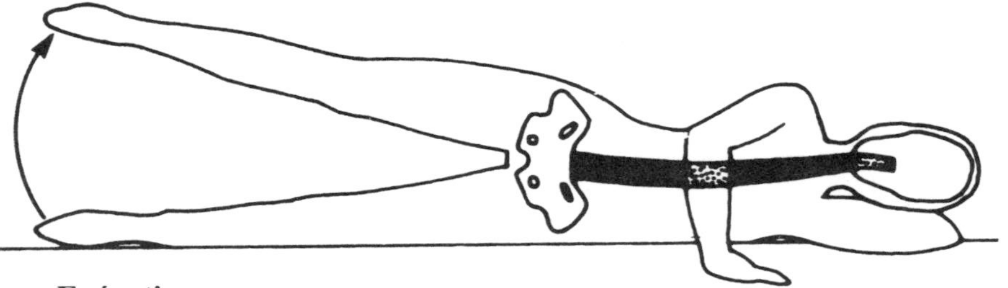

**Exécution**

1. Redressez le bassin.
2. Élevez lentement la jambe du dessus d'environ trente centimètres.
3. Revenez en position de départ.
4. Exécutez dix fois cet exercice.
5. Retournez-vous, couchez-vous sur le côté droit et exécutez encore dix fois cet exercice.

**Attention aux pièges**

Assurez-vous, lorsque vous soulevez la jambe du dessus, que le tronc ne penche ni vers l'avant ni vers l'arrière. Redresser le bassin aide d'ailleurs à garder le corps parfaitement droit.

## Élévation latérale des jambes

Cet exercice s'adresse à ceux qui ont obtenu la mention PASSABLE à l'épreuve C, destinée à évaluer les muscles latéraux du tronc. Il renforcera les muscles latéraux du tronc et des jambes.

**Position**

1. Couchez-vous à même le plancher sur le côté gauche, la tête confortablement appuyée sur le bras gauche, le bras droit vous servant d'appui pour maintenir votre équilibre.
2. Assurez-vous que votre corps est parfaitement droit.

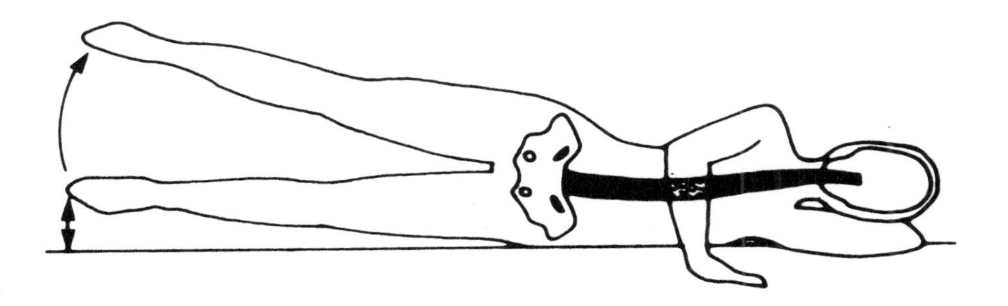

**Exécution**

1. Redressez le bassin.
2. Soulevez les deux jambes d'environ trois centimètres.
3. Maintenez cette position et élevez simultanément la jambe du dessus d'environ trente centimètres.
4. Abaissez la jambe du dessus jusqu'à ce qu'elle rejoigne l'autre jambe.
5. Exécutez cinq fois cet exercice.
6. Retournez-vous, étendez-vous sur le côté droit et exécutez encore cinq fois ce même exercice.

**Mise en garde**

Assurez-vous que votre bassin reste constamment redressé de sorte que le corps puisse se maintenir parfaitement droit.

**Attention aux pièges**

Exécutez lentement cet exercice pour en tirer tous les bénéfices.

## Élévation latérale maximale des jambes

Cet exercice s'adresse à ceux qui ont obtenu la mention BON à l'épreuve C, destinée à évaluer les muscles latéraux du tronc. Il renforcera les muscles latéraux du tronc et des jambes.

**Position**

1. Couchez-vous à même le plancher sur le côté gauche, le bras gauche soutenant confortablement la tête, le bras droit servant d'appui pour maintenir votre équilibre.
2. Assurez-vous que votre corps est parfaitement aligné.

**Exécution**

1. Redressez le bassin.
2. Soulevez les deux jambes d'environ huit centimètres.
3. Maintenez cette position.
4. Élevez lentement la jambe du dessus d'environ trente centimètres.
5. Ramenez la jambe du dessus au niveau de l'autre jambe.
6. Exécutez cinq fois cet exercice.
7. Retournez-vous, étendez-vous sur le côté droit pour répéter cinq fois le même exercice.

**Attention aux pièges**

Veillez à garder le corps bien droit. Redresser le bassin aide d'ailleurs à maintenir le corps parfaitement droit.

## Notez vos résultats

Voici comment vous servir du tableau conçu pour noter vos résultats aux exercices de remise en forme.

1. Inscrivez vos résultats aux épreuves d'Évaluation de l'état de santé du dos (excellent, bon, passable ou mauvais) dans la colonne Évaluation de la musculature dorsale.
2. Chaque jour, après la séance d'exercices, indiquez le nombre d'exécutions réussies pour chaque exercice en mentionnant la date — par exemple, le samedi 10.
3. À la fin de la semaine, revenez au chapitre consacré à la Méthode d'évaluation de l'état de santé du dos, reprenez les épreuves et indiquez vos résultats.
4. Si votre marque s'est améliorée, passez à des exercices qui présentent des difficultés supérieures et supposent une meilleure condition physique.

5. Si vous n'avez pas progressé, exécutez
séquence d'exercices. *Ne vous contentez pa*
plement le nombre d'exécutions pour ch
façon de procéder pourrait provoquer des ten
res. Exécutez plutôt chaque exercice cinq fois,
pause, puis reprenez la séquence du début à la fin.
6. À la fin de la deuxième semaine, soumettez-vous encore une fois aux épreuves d'Évaluation de l'état de santé du dos. Si votre résultat ne s'est pas amélioré, exécutez dès lors trois fois plutôt que deux chaque séquence d'exercices. À la fin de la troisième semaine, vous devriez noter une amélioration si vous avez correctement et consciencieusement exécuté les exercices chaque jour.

## Ne tolérez aucune douleur

Quand on pratique un nouvel exercice, une certaine raideur musculaire peut se manifester les premiers jours. Ce phénomène est tout naturel et on ne doit pas s'en étonner. Mais une raideur musculaire n'a rien à voir avec une douleur lancinante. Vous avez déjà ressenti des raideurs par le passé, quand vous vous adonniez, par exemple, à un sport pour une première fois. Si vous ressentez de la douleur au cours des exercices, jetez un coup d'œil attentif à la liste de contrôle qui suit:

- Gardez-vous le bassin redressé pendant tout l'exercice?
- Exécutez-vous correctement l'exercice?
- Auriez-vous surestimé l'état de santé de votre dos et vous seriez-vous engagé dans des exercices convenant à une condition physique supérieure à la vôtre?
- Ajoutez-vous trop rapidement de nouveaux exercices à votre programme?
- Négligez-vous d'exécuter les exercices de réchauffement?

Si aucun des points mentionnés dans cette liste ne s'applique dans votre cas et que vous continuiez malgré tout à ressentir des douleurs au dos pendant que vous exécutez les exercices de remise en forme, abandonnez ce régime d'exercices et prenez rendez-vous avec votre médecin.

# Le programme d'évaluation de l'état de santé du dos

| | *Évaluation de la musculature dorsale* | *Lun* | *Mar* | *Mer* | *Jeu* | *Ven* | *Sam* | *Dim* | *Réévaluation de l'état de santé du dos* |
|---|---|---|---|---|---|---|---|---|---|
| **Épreuve A** Redressement du tronc (flexibilité) | | | | | | | | | |
| **Épreuve B** Élévation des deux jambes (force abdominale) | | | | | | | | | |
| **Épreuve C** Redressement latéral du tronc (force des jambes et du tronc) | G | | | | | | | | |
| | D | | | | | | | | |
| **Épreuve D** Fléchisseurs de la hanche | G | | | | | | | | |
| | D | | | | | | | | |

# 8

# LE PROGRAMME VITAL D'ENTRETIEN DU DOS

Quand vous serez enfin parvenu à obtenir la mention EXCELLENT aux épreuves d'Évaluation de l'état de santé du dos, vous serez tout naturellement tenté de vous arrêter. Après tout, vous aurez gagné la bataille, n'est-il pas vrai? En un sens, oui, mais vous ne vous trouverez en fait qu'à la frontière de la forme physique. Maintenant que vos muscles dorsaux sont en parfaite condition, allez-vous les maintenir dans cet état? Rappelez-vous ce que je vous disais plus tôt au sujet du corps: c'est la seule mécanique qui a des ratés quand on ne s'en sert pas et qui s'améliore à l'usage. En d'autres mots, servez-vous-en, sinon elle ne vous sera plus jamais d'aucune utilité! Pour garder la forme, il vous faut donc continuer à entraîner intensément vos muscles.

Le Programme d'entretien du dos exposé dans ces pages a été conçu pour garder le dos en forme. Et par l'expression «en forme», je veux dire prêt à l'action. Pensez à ces gens que vous connaissez et qui sont en bonne condition physique. Quelles qualités possèdent-ils, qui font défaut aux gens en mauvaise condition physique? Ce qui me vient en premier lieu à l'esprit, c'est la résistance, cette aptitude à travailler ou à pratiquer un sport pendant de longues heures, sans ressentir de fatigue. La résistance est généralement associée à la sveltesse. La raison pour laquelle ces deux qualités vont de pair est assez évidente: les gens qui peuvent travailler de longues heures durant, sans ressentir de fatigue excessive, brûlent une grande quantité de calories. Cela s'applique aussi aux loisirs: les gens qui ont de l'endurance peuvent nager, jogger, se promener à bicyclette ou s'adonner à la courte paume plus longtemps et avec plus de vigueur. Ils peuvent ingurgiter de grandes quantités de nourriture après avoir pratiqué l'un de ces exercices violents et ne jamais engraisser d'un gramme.

Les deux qualités suivantes qui me viennent à l'esprit, quand il est question de forme physique, sont la force et la flexibilité. Nous savons que les muscles auxquels on ne demande aucun effort perdent simultanément ces deux qualités. La véritable forme physique se manifeste donc essentiellement par la présence harmonieuse de ces quatre qualités: la résistance et la sveltesse unies à la force musculaire et à la souplesse. Pour évoluer avec succès dans une société où le travail que nous accomplissons ne nous fournit pas les moyens de développer une saine condition physique, nous devons nous imposer une session quotidienne d'exercices physiques qui pallieront cette situation et remédieront aux carences qui affligent notre organisme.

Les exercices qui suivent peuvent être exécutés en quelques minutes seulement chaque jour; ils constituent une méthode simple, sûre et efficace pour se garder en forme toute sa vie durant.

**Rotations des bras**

Cet exercice est destiné à allonger les muscles de la ceinture scapulaire. Bien que les épaules soient capables d'une vaste gamme de mouvements, les dactylos, les hommes d'affaires et les gens qui travaillent d'ordinaire au bureau n'utilisent que fort peu leurs bras pendant les heures de travail. Parce que ces types d'emploi ne mettent que fort peu à contribution la musculature de l'épaule, il peut en découler une dégénérescence des articulations qui conduira à des problèmes d'arthrite de l'épaule. Les gens aux épaules tombantes, en raison de mauvaises habitudes posturales, sont aussi généralement affligés de muscles de la poitrne raccourcis et contractés qui ont besoin d'être allongés.

**Position**

1. Debout, les pieds écartés d'environ 70 centimètres pour être plus confortable.
2. Les bras ballants de chaque côté du corps.

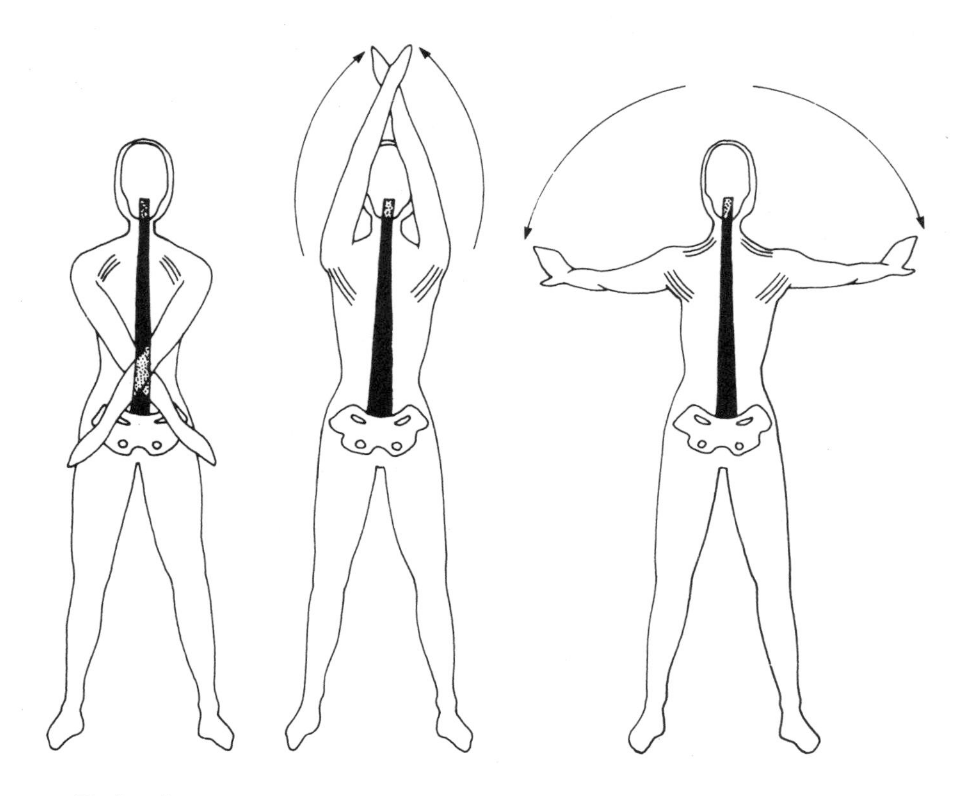

**Exécution**

1. Inspirez lentement, profondément, et croisez les bras devant la poitrine en exerçant une pression vers l'extérieur pour bien sentir un étirement au niveau des omoplates.
2. Soulevez lentement les bras, toujours croisés, au-dessus de la tête (un peu comme nous faisons tous quand nous bâillons en nous étirant).
3. Tout en inspirant puis en expirant, abaissez lentement les bras en décrivant un arc derrière le dos pour bien sentir les muscles de la poitrine s'étirer.
4. Exécutez cinq fois cet exercice.

**Attention aux pièges**

N'oubliez pas de bien contrôler votre respiration pendant tout l'exercice et n'agitez pas les bras comme les ailes d'un moulin à vent; exécutez lentement et sans précipitation le mouvement.

## Extension-décontraction latérale

Cet exercice sert de contrepoids à l'élévation latérale des jambes, qui est un exercice de force et d'endurance, en allongeant les muscles latéraux du tronc.

**Position**

1. Debout, les pieds écartés d'environ 50 centimètres pour être bien confortable.
2. Les bras ballants de chaque côté du corps.

**Exécution**

1. Inspirez puis, en expirant lentement, abaissez graduellement le bras droit le long de la jambe droite jusqu'à la hauteur du genou. Arrêtez dès que vous sentez une résistance du côté opposé.
2. Inspirez puis expirez profondément et sentez bien les muscles du côté gauche se détendre légèrement. Étirez davantage le bras droit et comptez jusqu'à cinq.
3. Reprenez la position de départ.
4. Exécutez cinq fois cet exercice.
5. Exécutez-le également cinq fois du côté gauche.

**Attention aux pièges**

N'exécutez pas trop rapidement cet exercice et pensez à bien contrôler votre respiration.

## Extension du mollet

Cet exercice étire un muscle-clé pour la station debout. Les gens qui portent des souliers à talon haut toute la journée ou qui pratiquent le jogging sans exécuter en contrepartie des exercices d'extension souffrent souvent de mollets raccourcis.

**Position**

1. Tenez-vous debout, les mains appuyées sur les hanches, dans une position confortable.
2. Posez un pied en retrait devant le corps, l'autre légèrement en retrait vers l'arrière en sorte qu'ils soient écartés d'environ trente centimètres, orteils pointés vers l'avant.

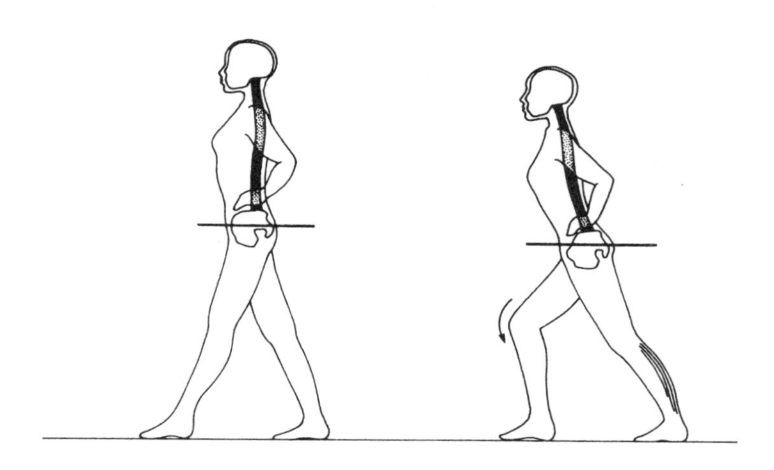

**Exécution**

1. Inspirez profondément, expirez ensuite en abaissant lentement le tronc par une flexion du genou qui se trouve en retrait devant le tronc.
2. Gardez droite et tendue la jambe en retrait vers l'arrière, en maintenant le pied bien à plat au sol.
3. Ressentez bien l'étirement du muscle du mollet de la jambe tendue.
4. Maintenez cette position et comptez jusqu'à cinq; inspirez, puis expirez profondément et sentez le muscle se détendre. Étirez-le encore un peu plus et gardez encore une fois la position pendant cinq secondes.
5. Exécutez cinq fois l'exercice pour chacune des jambes.

**Attention aux pièges**

Assurez-vous que le pied en retrait vers l'arrière ne quitte pas le sol et que le talon ne se soulève pas. Vous devriez ressentir un étirement, mais pas de douleur, au niveau du mollet.

## Extension des quadriceps

Cet exercice est destiné à renforcer les muscles antérieurs de la cuisse à l'aide de contractions musculaires isométriques. Des muscles solides de la cuisse sont nécessaires pour protéger le dos et le supporter quand il faut soulever des objets lourds.

**Position**

1. Debout, le dos et le fessier collés au mur, les pieds à distance raisonnable du mur (de 50 à 70 centimètres) pour s'assurer une position confortable.
2. Écartez les pieds et laissez les bras ballants.

**Exécution**

1. Fléchissez les genoux et laissez le dos s'appuyer contre le mur en sorte que le corps semble assis sur une chaise imaginaire. Les cuisses devraient former un angle droit avec le mur.
2. Maintenez cette position jusqu'à de que vous ressentiez une fatigue musculaire, soit environ une à deux minutes.
3. Exécutez cinq fois cet exercice.

## Extension des fléchisseurs

Cet exercice est destiné à renforcer les fléchisseurs de la hanche qui, lorsqu'ils sont raccourcis, empêchent de maintenir le bassin en position d'équilibre et contribuent donc à de mauvaises habitudes posturales.

**Position**

1. Tenez-vous debout, dans une position confortable.
2. Accroupissez-vous tout en gardant le pied gauche bien à plat sur le sol.
3. Posez les paumes bien à plat sur le sol, de chaque côté du pied gauche.
4. Étirez aussi loin que possible votre jambe droite derrière vous et appuyez-la sur les orteils; le poids du tronc devrait porter sur la cuisse gauche et sur le pied gauche bien à plat au sol.

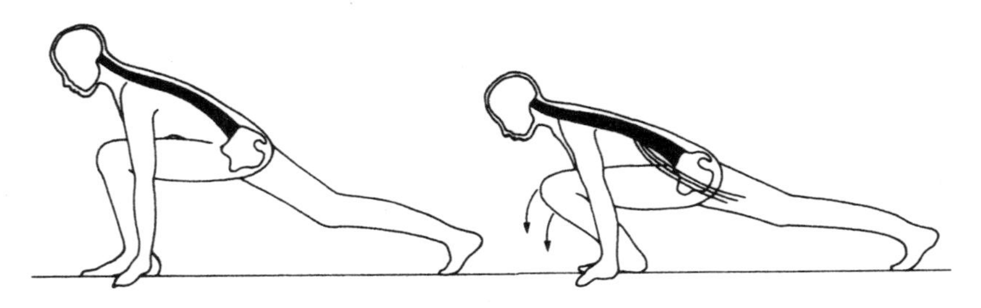

**Exécution**

1. Inspirez profondément puis expirez tout en déplaçant le poids du tronc pour le faire porter sur le genou gauche et en étirant le plus possible la jambe droite.
2. Maintenez cette position pendant cinq secondes. Vous sentirez les muscles du côté droit de l'aine s'étirer à mesure que le corps sera attiré vers le bas et l'avant par la force de gravité.
3. Détendez-vous et prenez un moment de repos dans cette position.
4. Exécutez cinq fois cet exercice.
5. Exécutez-le encore cinq fois, mais en changeant de jambe.

**Mise en garde**

Assurez-vous que le tronc et le dos sont supportés par la cuisse et la jambe, pour éviter que le dos ne se fatigue.

**Attention aux pièges**

Gardez bien à plat sur le sol le pied posé devant vous, pendant tout l'exercice. L'étirement doit se faire pendant l'expiration pour tirer les meilleurs bénéfices de cet exercice.

## Extension-décontraction du dos en arrondi

Cet exercice aide à améliorer la mobilité et soulage les raideurs et les tensions ressenties au bas du dos. Vous vous rappellerez sans doute qu'il s'agit là d'un exercice de réchauffement que vous devriez exécuter avant d'entreprendre votre Programme d'exercices de remise en forme.

**Position**

1. Mettez-vous à quatre pattes, les orteils pointés vers l'arrière et les doigts pointés vers l'avant.
2. Expirez profondément et ployez le dos (dans une position opposée à celle du bassin redressé). La tête et le coccyx doivent pointer en direction du plafond.
3. Inspirez profondément et arquez le dos en contractant simultanément les muscles de l'abdomen et du fessier de sorte que le menton et le coccyx pointent cette fois en direction du plancher.

4. Tout en maintenant cette position, expirez lentement et étirez davantage le dos vers le haut. Gardez cette position pendant cinq secondes. Détendez-vous.

**Mise en garde**
Si cet exercice vous cause de l'inconfort, allez-y graduellement en n'étirant pas le dos au maximum; vous y arriverez avec le temps.

## Tractions, telles qu'il faut les faire

Les tractions des bras renforcent les muscles de la ceinture scapulaire.

**Position**
Couchez-vous sur le ventre, paumes à plat sur le plancher, sous les épaules.

**Exécution**
1. Tout en gardant le corps parfaitement droit et raide, soulevez-le lentement du plancher en expirant.
2. Gardez le corps dans cette position, puis inspirez et revenez en position de départ. ATTENTION: S'il vous est impossible de garder le corps droit en ne vous appuyant que sur les orteils, servez-vous plutôt de vos genoux comme points d'appui. Cette façon de procéder est d'ailleurs habituellement conseillée aux femmes.

**Attention aux pièges**
Ne laissez surtout pas le corps ployer ou s'arquer et exécutez lentement l'exercice: il vaut mieux faire dix tractions lentement qu'en faire vingt à toute vitesse. Ne retenez pas votre souffle pendant l'exécution des tractions, mais expirez en tendant les bras et inspirez en les fléchissant.

## Extension des muscles de l'aine

Cet exercice a pour but d'améliorer la flexibilité du bas du dos et des adducteurs de la hanche, situés dans l'aine et à l'intérieur des cuisses.

**Position**

1. Assoyez-vous sur le plancher, le dos droit, les plantes des pieds réunies, genoux écartés et fléchis comme une grenouille.
2. Appuyez les coudes sur les genoux pour vous aider à les écarter et à les rapprocher du sol.

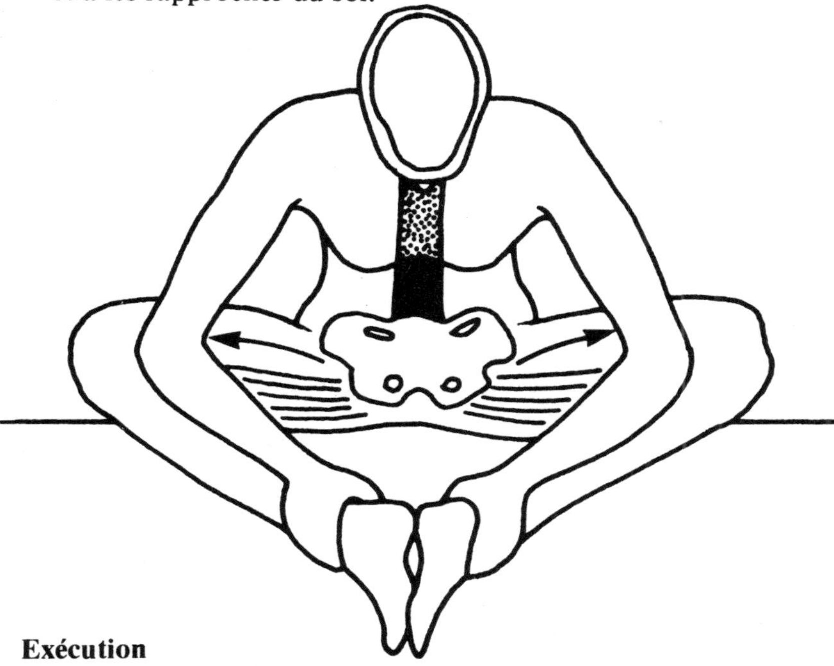

**Exécution**

1. Inspirez profondément, puis expirez et laissez retomber la tête en direction des pieds tout en inclinant le tronc vers l'avant.
2. Dès que vous sentez une résistance, arrêtez-vous, gardez la pose et comptez jusqu'à cinq. Ne forcez pas la tête vers le bas au point de ressentir de la douleur.
3. Prenez une autre respiration profonde, puis expirez lentement et étirez un peu plus les muscles du dos et de l'aine. Maintenez cette position pendant cinq secondes.
4. Exécutez cinq fois cet exercice.

## Extension des muscles de la loge postérieure de la cuisse

Cet exercice accroît la flexibilité des muscles dits du jarret, situés à l'arrière de la cuisse.

**Position et exécution**

1. Assoyez-vous sur le sol, les jambes allongées droit devant vous.
2. Soulevez le pied droit et appuyez-le contre le genou gauche, de façon que la plante du pied touche l'intérieur du genou.
3. Penchez le tronc en direction du genou gauche tout en cherchant à atteindre avec les mains le pied gauche.
4. Quand vous ressentez une résistance en vous étirant en direction du pied gauche, prenez une grande respiration, puis expirez et laissez le corps se rapprocher lentement du genou gauche.
5. Maintenez cette position pendant cinq secondes.
6. Exécutez cinq fois cet exercice.
7. Procédez de la même manière, mais en fléchissant cette fois la jambe gauche.

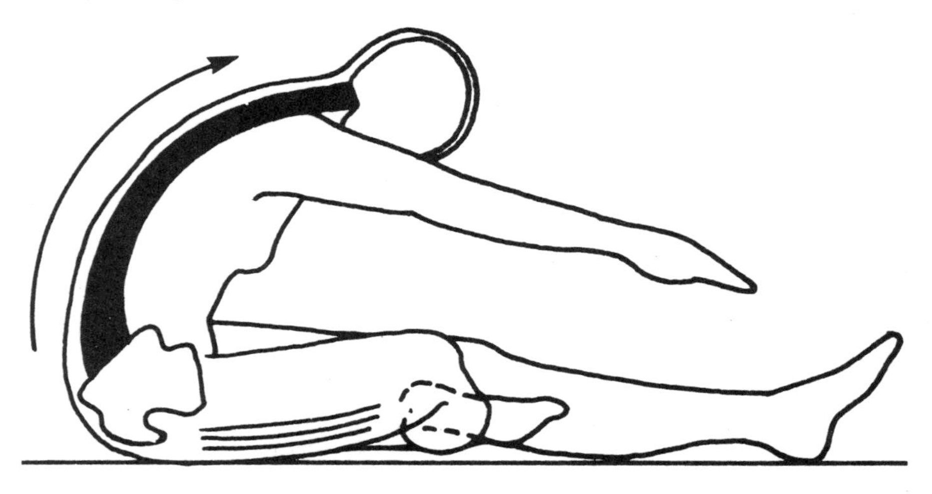

**Mise en garde**

Ne donnez pas de coups brusques et ne forcez pas. Si l'exercice cause une douleur, allez-y lentement et poursuivez en douceur.

## Redressement du tronc jambes fléchies

Cet exercice renforce les abdominaux et accroît la flexibilité du bas du dos. C'est un exercice de remise en forme que vous connaissez déjà.

1. Étendez-vous sur le dos à même le sol, genoux fléchis à angle de 45°.
2. Écartez les jambes d'environ 20 centimètres, les pieds bien à plat au sol.
3. Tendez les bras droit devant vous (et non pas au-dessus de la tête).

**Exécution**
1. Respirez profondément, expirez lentement, redressez le bassin.
2. Tout en gardant les pieds bien à plat au sol, relevez le tronc jusqu'en position assise.
3. Inspirez profondément, ramenez en douceur et lentement le tronc au plancher en déroulant en quelque sorte le dos et en maintenant le bassin redressé, le menton appuyé contre la poitrine.
4. Faites une pause et répétez quatre fois encore le même exercice.

**Mise en garde**
Si vous ressentez de la douleur, assurez-vous que vous gardez bien le bassin redressé pendant tout l'exercice. Si vous ressentez de l'inconfort, réduisez le nombre d'exécutions.

**Attention aux pièges**
Contrôlez bien votre respiration pendant l'exercice et veillez à l'exécuter lentement et sans mouvements brusques. Les gens ont tendance à déployer un effort surhumain pour exécuter de nombreux redressements rapides en utilisant la force d'impulsion pour s'aider à redresser le tronc. Rappelez-vous que dix redressements exécutés lentement valent mieux que cent redressements exécutés à toute vapeur. Si vos pieds quittent le sol, augmentez le nombre d'exercices de réchauffement.

**Variantes**
Vous pouvez soumettre vos muscles à un plus grand effort:

1. En exécutant les redressements, les bras croisés sur la poitrine.
2. En croisant les mains derrière la nuque. Souvenez-vous alors de ne pas projeter la tête vers l'avant en vous servant de vos

mains, ce qui pourrait provoquer des douleurs au niveau du cou. Procédez toujours lentement et sans à-coups; ne vous projetez pas vers l'avant et n'allez pas trop vite.

## Élévation latérale maximale des jambes

1. Étendez-vous à même le sol sur le côté gauche, la tête confortablement appuyée sur le bras gauche et le bras droit servant d'appui pour maintenir le corps en équilibre.
2. Assurez-vous que le corps est en parfaite ligne droite.

**Exécution**

1. Redressez le bassin.
2. Soulevez les deux jambes d'environ 15 centimètres.
3. Maintenez cette position.
4. Élevez lentement la jambe du dessus, aussi haut que possible.
5. Ramenez lentement la jambe du dessus au niveau de l'autre jambe.
6. Exécutez cinq fois cet exercice.
7. Retournez-vous, étendez-vous sur le côté droit et exécutez encore cinq fois le même exercice.

**Mise en garde**

N'inclinez pas le corps d'un côté ni de l'autre. Redresser le bassin aide d'ailleurs à maintenir le corps parfaitement droit.

Exécutés en quelques minutes seulement, ces exercices vous aideront à garder un corps sain et en forme. Ils sont faciles à exécuter, ne présentent aucun risque de blessure et conviennent parfaitement comme exercices de réchauffement avant de vous adonner à un sport, quel qu'il soit. Ils sont aussi merveilleux pour relâcher les tensions après une rude journée de travail au bureau. Comme ils combinent mouvements isométriques et isotoniques, ils peuvent servir aussi bien à décrasser l'organisme, le matin, qu'à le détendre et à le ralentir, le soir. Choisissez le moment qui vous convient le mieux, mais faites-vous un devoir de les exécuter chaque jour. Dix petites minutes vous suffiront. Rappelez-vous que la régularité est la clé de la bonne forme physique.

# 9

# DROIT AU BUT: L'IMPORTANCE D'UN BON MAINTIEN

Quand il est question de maintien, je suis intraitable. Mes enfants se plaignent de ce que j'insiste tant sur ce sujet qu'ils ont l'impression d'habiter chez une vieille tante aigrie par un trop long célibat. Pour me défendre, j'essaie de leur faire comprendre que j'ai de bonnes raisons de me faire tant de souci: je ne veux à aucun prix qu'ils se retrouvent affligés d'un mal de dos chronique.

Pendant longtemps j'ai été estomaqué par les notions confuses qu'entretenaient mes patients atteints de maux de dos au sujet des bonnes habitudes posturales. Aujourd'hui, je tiens pour acquis que cela ne vient pas en tête de liste des priorités de la plupart des gens. Ils sont de loin plus intéressés à maigrir, par exemple. De nos jours, un bon maintien semble n'avoir aucune part à l'image que l'on se fait d'un beau corps. Et parce que, tant à l'école que dans les centres d'éducation physique, on n'a guère accordé d'importance au maintien, la plupart des gens qui se tiennent mal sont dans l'ignorance absolue de l'importance de cette question. Ils ignorent aussi qu'un mauvais maintien peut avoir de fâcheuses conséquences sur leur santé et sur leur apparence physique.

Permettez-moi de vous soumettre à une petite épreuve. Si je vous demandais de vous lever et de vous tenir droit, que feriez-vous? Eh bien! si vous vous comportez comme la majorité de mes patients, vous adopteriez sur-le-champ l'attitude militaire: épaules rejetées vers l'arrière, autant qu'il est possible, poitrine et menton projetés vers l'avant. Pour tout dire, j'ignore d'où nous vient pareille conception d'un bon maintien; peut-être faut-il en imputer le blâme à nos parents qui nous incitaient à rejeter les épaules vers l'arrière ou à un séjour de quelques années dans une académie militaire. Ce dont je suis toutefois sûr, c'est que la station au garde-à-vous n'est absolument pas la bonne façon de se tenir. En fait, elle est même contre nature et peut provoquer de la douleur et de la fatigue si on s'efforce de la garder pendant des heures.

Comme je l'ai déjà expliqué, il est pour ainsi dire absurde de conseiller aux gens de se tenir bien droit quand leurs muscles abdominaux sont affaiblis et que les muscles du psoas sont raccourcis et ne peuvent, pour cette raison, maintenir le bassin dans la position d'équilibre nécessaire pour bien garder alignée la colonne vertébrale. Jusqu'ici, mon principal objectif a été de vous montrer comment remettre en condition vos muscles dorsaux — comment aussi les garder en forme — en sorte que vous ayez le moyen d'améliorer votre maintien. De bonnes habitudes posturales préviennent la fatigue dorsale et rendent le dos moins vulnérable aux blessures. Sans compter que vous serez deux fois plus attirant.

Voyons maintenant ce qu'on entend par un bon maintien et comment on peut apprendre à adopter un bon maintien. Parce que le maintien est davantage une question de qualité que de quantité, il est plutôt difficile de l'évaluer, mais j'essaierai tout de même de vous en décrire les principes essentiels. Le maintien est la manifestation tangible du travail qu'effectuent les muscles pour garder le corps en position verticale en dépit des forces de gravité. Il y a bon maintien quand toutes les parties du corps sont maintenues en état d'équilibre, en sorte que la charpente osseuse est protégée contre les blessures et les muscles, contre la fatigue.

Le maintien n'est pas uniquement la maifestation d'un équilibre physique, mais également d'un équilibre mental. Pensez seulement à la façon dont vous vous tenez quand vous vous sentez déprimé ou fatigué: vous avez alors les épaules tombantes et arrondies. Votre corps trahit votre état, vos émotions, en cessant de lutter contre les forces de gravité; il se recroqueville, comme votre ego. Quand vous vous sentez bien, votre corps exprime aussi vos émotions. «Je me sens des ailes», dites-vous alors. Un ami qui s'y connaît en langage corporel ne manquera pas de deviner à votre seul maintien que tout va pour le mieux: le corps raide, la tête relevée, une attitude prête à relever tous les défis le lui révéleront. N'est-il pas d'ailleurs très significatif qu'on utilise l'expression «bien équilibré» pour décrire quelqu'un qui «sait garder la mesure» et dont les émotions «ne sont pas imprévisibles».

L'homme a toujours dû lutter pour assurer son équilibre mental. De la même manière, le corps doit lutter contre les forces de gravité, à chaque seconde de la journée, pour rester debout et garder son équilibre. Parce que le corps humain ressemble étrangement à un triangle renversé — les pieds constituant la fine pointe qui supporte cet édifice, alors que le centre de gravité est logé plus haut, dans la zone pelvienne — tout ce qui nous empêche de tomber, c'est l'action des muscles. Il s'ensuit donc que, plus on adopte un bon maintien, moins les muscles doivent fournir d'efforts pour maintenir le corps en position verticale.

Le redressement du bassin est la pierre angulaire d'un bon maintien. Quand le corps garde cette position, le dos n'est pas anormalement incurvé et les muscles sont à leur longueur optimale, de sorte qu'aucun groupe musculaire n'est obligé de travailler plus qu'il ne devrait pour assurer l'équilibre du corps. Vous souvenez-vous de l'analogie que j'ai utilisée plus tôt dans ces pages, à propos de la colonne? Je comparais alors la partie inférieure de l'épine dorsale à un mât de navire. Je suggérais ainsi que cette région de la colonne, qu'on peut qualifier de bloc-moteur du dos, reposait sur le plancher pelvien un peu comme un mât s'appuie sur le pont d'un navire. Tout comme le mât est amarré au pont par des câbles de hauban, la colonne lombaire est rattachée au plancher pelvien par les muscles du dos. Si l'un ou l'autre de ces muscles est étiré ou relâché, les autres muscles — comme les câbles de hauban qui maintiennent en place le mât — seront soumis à un effort additionnel ou devront travailler davantage pour que la colonne reste bien droite. Quand une personne a le dos excessivement courbé ou un mauvais maintien, certains groupes de muscles sont étirés bien au-delà de leur longueur optimale, et d'autres muscles doivent alors supporter un fardeau additionnel. Par exemple, si les abdominaux sont affaiblis, le bassin basculera vers l'avant, ce qui forcera les muscles du dos et les psoas à une surcharge de travail pour compenser cette défaillance. Cette surcharge de travail provoquera une fatigue chronique qui dégénérera en mal de dos.

## L'épreuve du miroir

Convaincre mes patients qu'un mauvais maintien peut avoir de graves conséquences sur la santé de leur dos n'est pas toujours une tâche facile. Et il est encore plus difficile de leur expliquer ce qu'est un mauvais maintien. Généralement, il me faut d'abord leur apprendre à se regarder dans un miroir... Le cas que je relate ci-après devrais illustrer clairement ce que j'entends par là!

## LE CAS DE PAUL N., ÂGÉ DE 19 ANS

Les yeux de ma jeune réceptionniste s'illuminèrent quand Paul se présenta à la clinique pour obtenir un certificat de santé qu'exigeait son futur employeur. Elle devait trouver agréable de voir enfin un jeune homme séduisant entrer d'un pas assuré dans la clinique, après tous ces patients souffrant de maux de dos. Peu importe leur âge, ils ont presque tous l'air vermoulu, clopinant, le dos contorsionné sous l'effet de spasmes musculaires. Paul n'était pas un athlète de week-end; il pratiquait le ballon-panier, le ballon volant et le base-ball et semblait dans une forme physique terrible. Néanmoins, il avait postulé un emploi qui l'obligerait à l'occasion à de gros efforts physiques et l'employeur voulait qu'il se soumette aux épreuves de l'Évaluation de l'état de santé du dos. Il jugeait que Paul avait le droit de savoir s'il avait ou non les capacités physiques nécessaires pour accomplir ce travail.

Paul n'avait quant à lui aucun doute, tout comme il n'eut aucune difficulté à passer les trois premières épreuves de l'Évaluation. Parce que ses abdominaux étaient en parfaite condition, les redressements du tronc, l'élévation des jambes et le redressement latéral du tronc furent pour lui un jeu d'enfant. Ce n'est qu'au cours de l'épreuve des fléchisseurs de la hanche que se manifestèrent les premiers signes d'un problème quelconque. Paul ne parvenait pas à maintenir à plat sur la table d'examen la jambe allongée quand il tirait à la poitrine le genou de la jambe opposée. Les exercices de force-endurance que Paul exécutait pour se préparer à diverses activités physiques sportives avaient raccourci ses fléchisseurs parce qu'il ne s'adonnait jamais en contrepartie à des exercices d'extension-décontraction. En conséquence, les fléchisseurs de la hanche contractés avaient eu un effet sur son maintien.

Mais Paul n'accordait que peu d'importance au maintien. Quand je lui demandai d'examiner sa façon de se tenir, il se braqua devant le miroir, se regarda dans la glace et répondit:

— Je pense que je me tiens comme il faut.

— Et si vous y regardiez de plus près en vous plaçant sous un angle différent, lui suggérai-je. Placez-vous plutôt de côté et dites-moi ce que vous voyez maintenant dans le miroir.

Je surveillais Paul pendant qu'il s'examinait. Comme la plupart de mes patients, il n'avait aucune idée de ce qu'est un bon maintien. Il porta immédiatement son regard sur son abdomen qu'il avait bien plat, mais il ne songea même pas à jeter un coup d'œil à ses épaules et à son dos.

— Paul, avez-vous jamais remarqué que vos épaules sont légèrement tombantes? Et regardez votre dos. Pouvez-vous voir cette courbure prononcée dans le creux du dos?

— Je ne l'avais jamais remarquée, avoua Paul.

— On appelle hyperlordose cette cambrure prononcée et c'est un signe évident d'un mauvais maintien. Vous ne vous tenez pas comme il faut!

— Mais je n'ai jamais eu le moindre problème, rétorqua Paul. Alors, en quoi ma façon de me tenir peut-elle avoir de l'importance?

— Eh bien, Paul, je vais vous en donner une preuve qui vous convaincra peut-être. Examinons vos épaules.

Bien des gens affligés d'épaules tombantes ont les muscles scapulaires tendus et raides et Paul ne faisait pas exception à la règle. Ses muscles étaient si tendus qu'il avait comme des nœuds douloureux ou des points aussi sensibles qu'une gâchette près de la base du cou et que, quand j'exerçais sur eux une pression du bout du pouce, il en grimaçait de douleur.

— Vos muscles sont si contractés à cet endroit, Paul, qu'au toucher ils ressemblent plus à des os qu'à des muscles! Dites-moi, Paul, ne seriez-vous pas sujet aux maux de tête?

— À qui le dites-vous! J'ai très souvent raté des cours l'année dernière à cause de maux de tête.

— Bon. Je veux essayer quelque chose avec vous: je veux que vous vous teniez debout, le ventre rentré, le bas de la colonne redressé, la tête bien droite et le regard dirigé droit devant vous.

Quand Paul eut adopté cette position, qui en est une de bon maintien, je sondai une fois de plus les points sensibles que j'avais décelés un peu plus tôt sur ses épaules.

— Et que ressentez-vous maintenant? lui demandai-je.

— Eh! Ça ne fait presque plus mal. Comment cela est-il possible?

Je lui expliquai que, quand il se tenait droit, les muscles de ses épaules s'en trouvaient plus détendus, ce qui permet au sang de circuler plus librement dans les muscles et de les débarrasser des déchets toxiques qui autrement s'y accumuleraient. J'avançai qu'il était possible que ses maux de tête aient été provoqués par l'état de contraction des muscles de l'épaule et que, si j'avais raison, un bon maintien en réduirait grandement l'intensité et la fréquence.

— Comprenez-vous maintenant comment de mauvaises habitudes posturales peuvent affecter votre santé, Paul? lui demandai-je.

— J'ai compris, répondit Paul. Je m'efforcerai à partir de maintenant de mieux me tenir.

— Vous n'y arriverez pas vraiment, à moins d'allonger vos fléchisseurs de la hanche, lui dis-je. Tous les efforts de volonté ne suffiraient pas à modifier votre maintien, si vos muscles ne sont pas en parfaite forme pour bien soutenir le dos.

— D'accord. Dites-moi alors ce que je dois faire et je concentrerai mes efforts sur ces muscles. Mais j'ai le sentiment qu'il me sera plus difficile d'adopter de bonnes habitudes posturales que d'allonger mes muscles.

— Et pourquoi ça?

— C'est ainsi, docteur. Je me sens bizarre quand je me tiens comme il faut. Je suis tellement ancré dans mes mauvaises habitudes posturales que j'ai l'impression de mal me tenir quand je me tiens droit.

## Se donner du mal pour se bien tenir

Je comprenais parfaitement ce que Paul voulait dire par là. Si, pendant des années, vous vous êtes mal tenu, vos mauvaises habitudes sont devenues pour ainsi dire une seconde nature, au point d'ailleurs qu'elles vous semblent la bonne attitude de maintien. Tout ça parce que le maintien est essentiellement une question d'habitude. Mais nous ne sommes pas nés avec ces mauvaises habitudes. Bien que le maintien soit une activité inconsciente et involontaire qu'assurent automatiquement des réflexes musculaires, il s'agit tout de même d'une activité apprise. Vous avez acquis des habitudes tandis que vous grandissiez et que vos muscles se développaient. À la naissance, un bébé ne peut se tenir la tête ni le corps droit. À mesure que ses muscles se développent, l'enfant apprend à garder la tête droite, à se déplacer à quatre pattes, puis à se tenir debout, à marcher et à courir. Les tout-petits ont le ventre bombé et les courbures de leur corps sont prononcées parce que leurs muscles ne sont pas complètement développés. Ce n'est pas avant la puberté que les muscles commencent à atteindre leur plein développement et que s'établissent des habitudes posturales.

Ces attitudes établies qui perdureront à l'âge adulte ne dépendent pas uniquement de la seule force des muscles: les enfants modèlent aussi leur maintien sur celui de leurs parents et de leurs pairs. Les premières influences viennent des parents, mais à mesure que l'enfant grandit il imite ses héros personnels et, à l'adolescence, il cherche à se conformer aux attitudes de ses copains.

C'est pendant la période cruciale de l'adolescence que les mauvaises habitudes de maintien peuvent se fixer pour de bon. L'adolescent qui a toujours été timide adoptera en permanence l'habitude de marcher la tête baissée pour éviter de croiser le regard de quiconque. Une attitude défensive ou de retrait devant la vie, caractérisée par des épaules tombantes, est souvent le propre d'adolescents qui souffrent d'un complexe d'infériorité; d'une façon similaire, les jeunes garçons embarrassés par leur grande taille, au point d'en être gauches, ploieront le dos pour ressembler davantage à leurs confrères de classe (il est particulièrement pénible pour une jeune fille de dépasser de la tête et des épaules les garçons de sa classe). Autre victime toute désignée: la fillette embarrassée par le développement de sa poitrine. Elle enfoncera la tête dans les épaules et arrondira le dos pour mieux masquer ses seins. C'est également à cette période de leur existence que garçons et filles ressentent désespérément le besoin d'être acceptés par leur entourage. S'il est alors de bon ton d'avoir les épaules tombantes, vous pouvez être assuré que vos enfants adopteront cette attitude.

Que peuvent faire les parents si leur enfant adopte un mauvais maintien? Il n'y a pas de solution facile. Les adolescents (personne ne l'ignore) refusent d'accepter toute suggestion venant de leurs parents; en fait, pour mieux affirmer leur indépendance, ils adopteront l'attitude diamétralement opposée à celle que leur suggèrent leurs parents. Comme le reconnaîtront à regret la plupart des parents d'adolescents, il faut un certain brin d'astuce pour les persuader de faire quoi que ce soit qui pourtant leur sera salutaire. Il faut se rappeler que les adolescents sont extrêmement préoccupés par leur apparence. Il suffira parfois de piquer leur orgueil, avec subtilité et de manière détournée, pour provoquer un changement d'attitude chez eux. Toutefois, la meilleure solution reste toujours de prêcher d'exemple alors qu'ils sont encore tout petits. Les premières influences sont les plus durables et si les parents s'efforcent eux-mêmes d'adopter de bonnes habitudes posturales, ils peuvent être à juste titre assurés que leurs enfants se tiendront eux aussi correctement.

## Beau dos et beauté

À tort ou à raison, la société dans laquelle nous vivons accorde une valeur primordiale à une apparence jeune et belle. Dans ce pays, nous sommes tous obsédés par les diètes et le désir de paraître jeunes et sveltes. Nous passons d'innombrables heures dans des salons de beauté dans le seul but d'avoir un teint parfaitement bronzé et des cheveux chatoyants. Nous dépensons des milliers de dollars pour des vêtements qui soient à la fine pointe de la mode. Pour ma part, je ne vois aucun mal à cela. Pourquoi ne nous efforcerions-nous pas d'avoir fière allure? Le problème, c'est que nous oublions parfois que la vraie beauté dépend tout autant sinon davantage de la forme physique et de la silhouette que des artifices de toutes sortes.

À quoi reconnaissons-nous d'instinct la beauté d'un cheva course pur sang ou d'une grosse cylindrée de sport? C'est la combinaison d'une ligne pure et de la grâce du mouvement qui nous fait reconnaître leur excellence. Pour les gens, c'est la même chose. Une personne qui se déplace avec grâce et dont la silhouette est bien découpée donne une impression d'élégance et de vitalité qui attire toujours l'attention. C'est pourquoi les danseurs et les mannequins doivent se soumettre à un entraînement rigoureux pour apprendre à adopter un maintien élégant. Ce sont les gestes qui créent l'impression de beauté et parce que la personnalité s'exprime d'abord dans les gestes, nous jugeons automatiquement les gens à la façon dont ils se tiennent et dont ils marchent.

Les habitudes posturales servent aussi de critère pour évaluer l'âge d'une personne: une personne qui se déplace lentement et presque craintivement, le dos voûté, est considérée comme une personne âgée, alors qu'un individu qui se tient le corps raide et se déplace avec aisance sera jugé plus jeune.

Je pense que la plupart d'entre nous entretiennent une bonne dose de fierté: nous aimerions tous être considérés plus jeunes, plus élégants et plus gracieux. Nous pouvons nous rapprocher de cet idéal en apprenant à bien nous tenir et à marcher d'une façon plus convenable. Et, bien qu'il soit difficile de faire comprendre ce message aux enfants, l'effort en vaut la chandelle. Les parents soucieux du bien-être de leurs rejetons dépensent de petites fortunes pour leur procurer des appareils orthopédiques et leur assurer une dentition saine, bien enracinée et un sourire séduisant, mais pour les aider à devenir des adultes sains, beaux et débordants d'énergie, ils devraient songer à corriger leurs mauvaises habitudes posturales.

## Évaluez votre maintien

Comment décririez-vous votre maintien? Votre miroir vous apprendra sûrement de bonnes et de mauvaises nouvelles à ce sujet. Tenez-vous debout, de côté, près d'un miroir et efforcez-vous d'examiner avec impartialité votre corps. Je sais que ce spectacle vous consternera peut-être, mais consolez-vous à l'idée que, dans quelques semaines seulement, votre allure se sera grandement améliorée.

| LA LIGNE VERTICALE RÉVÈLE UN BON MAINTIEN | LA LIGNE VERTICALE RÉVÈLE UN MAUVAIS MAINTIEN |
|---|---|
| 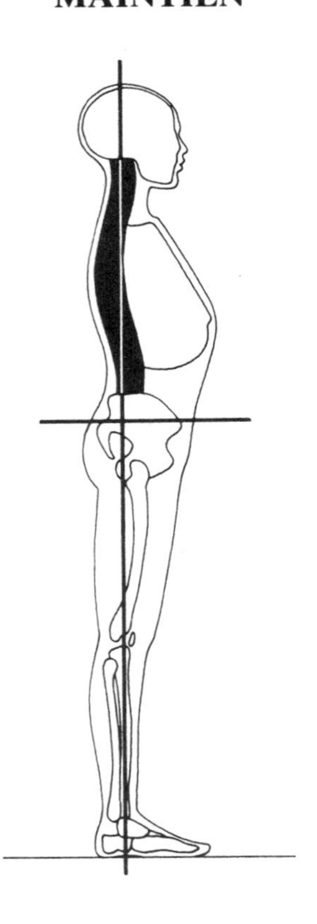 | 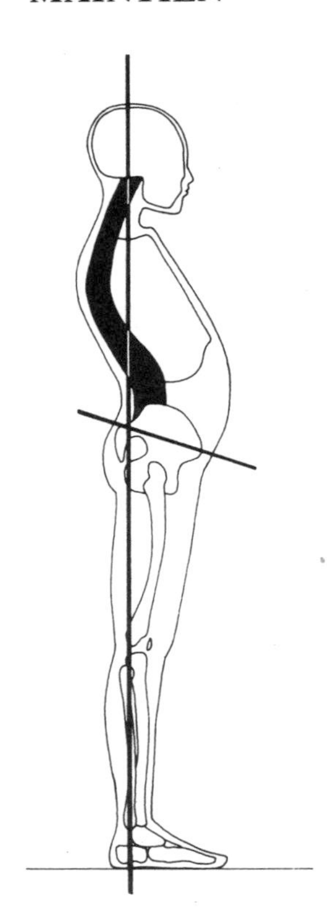 |

Essayez maintenant d'imaginer un fil à plomb suspendu au plafond; il représenterait une ligne de force qui traverserait le centre de gravité du corps. Le fil devrait passer derrière l'oreille, sur la nuque et la partie inférieure du dos, derrière la hanche, sur la face antérieure du genou, traverser la partie inférieure de la jambe et enfin la cheville. Vous pouvez voir, dans l'illustration ci-dessus, comment cette ligne imaginaire devrait traverser le corps.

Si votre corps se retrouve en grande partie devant ou derrière cette ligne, c'est que vous avez un mauvais maintien. Vérifiez les points suivants: jusqu'à quel point votre colonne dévie-t-elle de cette ligne? Avez-vous les épaules tombantes? Avez-vous la tête trop projetée vers l'avant ou même tombante? Qu'en est-il de la chute des reins? La cambrure est-elle trop prononcée? Votre abdomen est-il saillant et relâché? Vos fesses sont-elles exagérément cambrées?

Je concède qu'il n'est pas particulièrement agréable de devoir constater ces réalités peu réconfortantes. Qui ne préférerait s'en passer? Il n'y a pas de doute que les gens aiment mieux se regarder de face dans un miroir; à peu près tout le monde a plus fière allure, vu sous cet angle. Mais on ne peut pas alors déceler les défauts de son maintien pour pouvoir ensuite y remédier. Rappelez-vous que le maintien n'est qu'une affaire d'habitude et qu'une habitude peut être modifiée. On peut se défaire d'un mauvais maintien et le remplacer par des habitudes posturales saines qui deviendront un automatisme. Si vous faites des efforts de volonté pour vous assurer un bon maintien, vous parviendrez en très peu de temps à adopter inconsciemment les attitudes qui conviennent.

## Endossez un dos sain

Un bon maintien exige le redressement du bassin. Placez le bassin en position d'équilibre et les courbures naturelles de votre dos s'en trouveront réduites au minimum.

Si vous voulez constater *de visu* à quel point la colonne se redresse quand vous adoptez la position d'équilibre du bassin, essayez ceci: tenez-vous debout dos au mur et demandez à un ami d'indiquer votre taille à l'aide d'un crayon. Maintenant, redressez le bassin. Rentrez ensuite l'abdomen et rapprochez du mur le creux du bas du dos; ramenez légèrement les épaules vers l'arrière et gardez la tête bien droite. Demandez au même ami d'indiquer encore à l'aide d'un crayon votre taille. Vous découvrirez, à votre grand étonnement, que vous venez de grandir d'environ trois centimètres, et peut-être même davantage! Lorsqu'un de mes patients décida d'adopter de bonnes habitudes posturales, il me dit que cela lui causait des problèmes au travail: on lui reprochait d'avoir un peu trop l'air d'un patron!

Quand vous serez convaincu que le redressement du bassin est la clé d'un bon maintien, efforcez-vous d'adapter le plus souvent possible cette position du bassin pour en faire une habitude de vie. Je conseille à mes patients de se servir à cette fin d'un point de repère: par exemple, chaque fois que vous franchissez une porte, vous devriez songer à vérifier, en vous aidant de l'encadrement de la porte, si votre bassin se trouve bien en position d'équilibre. Avec un peu de détermination et d'autodiscipline, vous aurez vite fait de transformer en automatismes vos efforts pour vous assurer un bon maintien et vous n'aurez plus besoin désormais d'y songer.

Passons maintenant aux bonnes postures en position assise et couchée. Il vous paraîtra peut-être étonnant d'apprendre qu'un bon maintien est important, même pendant votre sommeil. Mais quand on sait que ce n'est que pendant le sommeil que le dos a la possibilité de se reposer totalement, on comprend à quel point il importe d'adopter au lit une position qui favorise la détente de la colonne. Voilà pourquoi vous ne devriez jamais vous coucher à plat ventre; cette position force en effet le dos à s'arquer de sorte que les vertèbres sont soumises à une tension. Vous savez déjà à quel point votre poignet s'engourdirait si vous deviez le maintenir dans un état d'extrême tension pendant des heures. Le dos réagit de la même manière et, après une nuit passée sur le ventre, vous ressentirez peut-être des douleurs ou des raideurs en vous réveillant. Dormez plutôt sur le côté, genoux et hanches fléchis autant qu'il est possible, sans provoquer toutefois d'inconfort, pour permettre à la colonne de se détendre pleinement. Si vous préférez dormir sur le dos, assurez un soutien à vos genoux et à vos hanches en les appuyant sur des oreillers de sorte que le dos puisse se reposer et que le bassin se trouve en position d'équilibre.

De bonnes habitudes de maintien en position assise se fondent sur deux règles fort simples. La première règle consiste à garder les genoux un peu plus haut que les hanches lorsque l'on s'assoit. La deuxième règle consiste à s'assurer que le bas du dos soit bien soutenu. Croiser les genoux est une méthode très simple pour s'assurer que soit respectée la première règle (que les genoux soient plus élevés que les hanches) et pour faire en sorte que le bassin se retrouve automatiquement en position d'équilibre. Faites-en l'essai et vous sentirez bien que le creux du bas du dos se rapproche ainsi du dossier de la chaise. Décroisez les jambes et constatez comme le dos s'arque et se trouve dans un position où il se fatigue davantage et où ses courbures sont plus prononcées.

Quand vous êtes assis à un bureau, placez un gros livre ou une boîte sous le bureau, qui vous servira de repose-pied. Dès lors vos genoux se trouveront plus élevés que vos hanches et la colonne vertébrale sera ainsi étirée et détendue. Pendant que vous regardez la télévision, le soir, soulevez les pieds. En fait, la plupart des gens agissent ainsi sans même y songer, quand ils veulent se détendre. Ils ignorent peut-être la position d'équilibre du bassin, mais ils sont conscients que le fait de surélever les pieds leur assure un confort certain.

Si vous devez rester debout pendant de longs moments, posez un pied sur un tabouret ou une boîte, pour redresser le bassin. Votre colonne vertébrale se fatiguera moins vite. Avez-vous déjà remarqué qu'une rampe, qui sert de repose-pied, court à la base de tous les bars ou comptoirs où on ne peut s'asseoir que sur des tabourets? Cette rampe est là pour que le buveur puisse se détendre et — c'est du moins ce qu'espère le propriétaire de la buvette — qu'il prenne le temps d'avaler quelques verres supplémentaires.

Toute méthode pour assurer un bon maintien — que ce soit en position assise, couchée, debout ou même en marchant — doit nécessairement placer le bassin en position d'équilibre en sorte que la colonne puisse se détendre. Quand vous redressez le bassin, vous réussissez à reposer votre dos, même au travail. Quand vous redressez le bassin, vous réussissez à reposer votre dos, même au travail. Quand vous négligez d'adopter un bon maintien, vous faites travailler votre dos, même au repos!

# 10

# EN AVEZ-VOUS PLEIN LE DOS DES LEVAGES?

Nous avons déjà vu comment la mécanique humaine, conçue par la nature pour fonctionner adéquatement grâce à l'action continue des muscles, peut s'encrasser dans notre société technologique. L'épidémie de maux de dos qui sévit en Amérique du Nord n'est qu'une conséquence de notre mode de vie hautement automatisé. Et, comme nous l'avons aussi appris, nous imputons presque toutes les blessures au dos à de mauvaises techniques de levage.

Bien que l'une des principales causes des problèmes dorsaux soit effectivement l'affaiblissement des muscles du dos, il est possible de mener une vie saine et sans ennuis aussi longtemps qu'on n'exige pas de muscles affaiblis des efforts qui excèdent leurs capacités. Toutefois, s'ils sont soudainement mis à l'épreuve pour soulever un lourd fardeau, alors il faut se méfier! Même lorsque les muscles dorsaux sont en bonne forme, un levage mal exécuté peut causer une blessure au dos parce l'effort exigé et le poids soulevé portent alors sur une partie de la colonne vertébrale qui ne devrait pas normalement entrer en action.

Bien au fait des risques que comporte un effort de levage, les chefs d'entreprises tapissent les murs des bureaux, des entrepôts et des ateliers d'affiches qui exhortent les employés à user de techniques adéquates de levage. Ils offrent aussi des programmes intensifs de formation sur ce sujet. Jusqu'à ce jour, tous ces efforts n'ont toutefois pas réglé ce grave problème. Voilà pourquoi le Centre de soins du dos a vraiment sa raison d'être. Même si le livre que vous lisez présentement veut d'abord répondre aux besoins des individus, il ne faut pas oublier que j'ai fondé ma clinique pour répondre aux besoins de l'industrie. Bien qu'elles soient on ne peut plus conscientes des conséquences de ce fléau sur leur viabilité, les entreprises n'ont toujours pas réussi à venir à bout des problèmes causés par des accidents de levage.

Une petite compagnie de camionnage, qui avait fait appel à mes services voici quelques années, me servira d'exemple pour vous exposer les difficultés soulevées par ce problème. Cette entreprise, qui comptait 225 travailleurs, avait réussi à obtenir de nombreux contrats au cours de ses premières années d'existence grâce à une direction agressive qui avait à cœur de faire rouler constamment la flotte entière de camions. L'entreprise semblait avoir le vent dans les voiles, mais le taux d'absentéisme des employés était élevé et commençait à causer des problèmes. Les horaires n'étaient pas respectés et les clients se plaignaient de livraisons faites en retard. Une étude exhaustive des dossiers des employés révéla que 80% des absences étaient imputables à des ennuis dorsaux, dont plusieurs étaient attribuables à des accidents survenus pendant la manutention des marchandises. Outre les effets négatifs de cet état de fait, les administrateurs de la compagnie s'inquiétaient de l'ampleur des coûts qui en découlaient: plus de 1 300 dollars annuellement, par employé.

L'entreprise était confrontée à un grave problème; mais pourquoi n'arrivait-elle pas à y remédier? Quand on me demanda de recevoir en consultation l'un des employés qui souffrait d'un mal de dos récurrent, les raisons de cet état de fait m'apparurent évidentes.

## LE CAS DE CHARLIE G., ÂGÉ DE 35 ANS

C'est un Charlie très hostile que je reçus à ma clinique.

— Je ne suis ici que parce que la compagnie a insisté pour que je vous voie, lança-t-il dès son arrivée. J'ai mon propre médecin et je peux vous dire que c'en est un maudit bon! Il a envoyé à la compagnie un rapport détaillé au sujet de mon mal de dos. Qu'est-ce qui ne va pas? Est-ce qu'ils le prennent pour un menteur?

J'essayai de le rassurer en lui répétant que je n'avais d'autre objectif, en le recevant, que de soulager son mal de dos; mais je constatai qu'il n'était pas convaincu de ma bonne foi. Charlie s'était une première fois blessé au dos six mois plus tôt, en déplaçant une brouette lourdement chargée. Deux semaines plus tard, il rentrait au travail, même s'il ressentait encore des raideurs quand il se réveillait, le matin, et s'il n'était pas complètement remis. Parce qu'il savait pertinemment que son dos n'était pas en très bonne condition, il s'était astreint à mettre scrupuleusement en pratique des techniques dites sûres, pour soulever des fardeaux, que l'entreprise enjoignait d'adopter; mais trois mois après son premier accident, il s'était encore une fois «éreinté le dos» en déchargeant un camion. Ce deuxième accident l'avait forcé au repos pendant trois mois et sa convalescence avait été longue et pénible. Parce que son dos le tenaillait toujours, son médecin avait recommandé à son employeur de lui confier des tâches plus légères.

— Les plus vieux m'en veulent parce que je ne m'arrache pas le dos comme eux, me confia Charlie. Et le chef d'équipe ne se montre pas plus sympathique qu'il ne faut; ça se comprend: mon repos forcé l'a obligé à un surcroît de travail tout l'été et il ne se prive pas de me le rappeler. Le patron en a plein le dos — à ce qu'il m'a dit, très subtilement, bien entendu — que je coûte les yeux de la tête à la compagnie. Tout le monde se comporte comme si j'avais souhaité ce maudit accident. Quant au responsable de la sécurité, il m'a déclaré tout de go que, si je m'y étais pris de la bonne façon, cet accident ne serait pas arrivé. Est-ce qu'ils croient tous vraiment qu'un gars pourrait être assez stupide pour vouloir passer trois mois au lit à supporter les douleurs que j'ai endurées? Je n'arrête pas de penser à mon père. Lui aussi avait des problèmes de dos et il s'est retrouvé à sa pension à 48 ans seulement. Je commence à me demander si je ne finirai pas comme lui.

Pas étonnant que Charlie se soit senti démonté! Pas étonnant non plus que son employeur en ait eu plein le dos de ses maux... de dos! Quand s'installe un «rapport de blâme», toute communication réelle devient impossible. La direction s'inquiète des conséquences négatives des maux de dos sur les horaires de production et les profits; le syndicat considère les maux de dos comme le résultat d'un milieu de travail hostile, sinon dangereux; les employés se sentent forcés de dépenser autant d'énergie à prouver que leurs conditions de travail sont à la source du problème qu'à tenter de recouvrer la santé. La tension provoquée par ces points de vue irréconciliables est encore exacerbée par la présomption, pour l'une et l'autre partie, que les accidents sont la conséquence ou de conditions dangereuses en milieu de travail ou de négligences de la part des employés. La direction et l'employé adoptent une attitude défensive et s'efforcent de prouver que l'autre a commis une erreur plutôt que de joindre leurs efforts pour résoudre le problème.

## Levage sans danger

Au Centre de soins du dos, nous adoptons un point de vue différent: nous faisons valoir que les ennuis dorsaux sont le résultat d'une incompatibilité entre les capacités du travailleur et les exigences de sa tâche. Nous nous efforçons de démontrer que cette situation déplorable ne peut être résolue qu'à la condition que toutes les parties concernées joignent leurs efforts pour trouver une solution à l'absentéisme qui en découle. Nous faisons valoir que le problème doit être considéré sous trois angles:

1. Le dos du travailleur est-il en assez bonne condition pour accomplir certaines tâches particulières?
2. L'outillage, le mobilier et les lieux de travail sont-ils adéquatement conçus?
3. Assure-t-on un enseignement adéquat des techniques sûres de levage et des précautions qu'il faut prendre pour protéger le dos?

Parce que le dos doit être en assez bonne condition pour exécuter certaines tâches, nous insistons sur la nécessité de pratiquer des exercices qui développeront la force musculaire, tout autant que d'assurer une connaissance suffisante des règles de sécurité en matière de levage.

Revoyons donc ensemble les règles communément admises pour effectuer un levage sans danger; nous nous pencherons ensuite sur les raisons qui expliquent l'existence de ces règles et le fait qu'on n'en tienne parfois aucun compte bien qu'il en coûte alors tant au travailleur qu'à l'employeur.

## Principes fondamentaux

Diverses techniques de levage et de manutention sans danger sont enseignées dans l'industrie. Ces techniques stimulent généralement qu'un travailleur devrait:

- jauger un objet avant de le soulever
- se tenir en équilibre, les pieds écartés
- fléchir les genoux
- garder le dos bien droit
- se saisir fermement de l'objet
- tenir l'objet près du corps
- éviter de faire pivoter le tronc

Tous ces principes sont importants mais, malheureusement, certains d'entre eux ne conviennent pas tout naturellement à bien des gens. Par exemple, les individus dont les muscles sont à ce point affaiblis qu'ils ne peuvent maintenir le dos droit suffisamment longtemps pour soulever un objet et le transporter ne peuvent tirer aucun parti du conseil qui veut qu'on garde alors le dos bien droit. Et bien qu'il soit essentiel d'éviter à tout prix de faire pivoter le tronc pour protéger la partie inférieure de la colonne vertébrale, il est encore plus important de bien montrer *comment* s'y prendre pour éviter toute torsion du tronc plutôt que de se contenter d'affirmer qu'un tel mouvement est totalement contre-indiqué. Au Centre de soins du dos, nous avons compris avec le temps qu'il était primordial d'expliquer les raisons fort simples sur lesquelles se fondent ces principes et de montrer aux travailleurs comment les mettre en pratique.

Quand on réexamine de près les principes fondamentaux de levage sans danger, on se rend compte qu'ils peuvent se résumer à un seul élément essentiel: *adopter la position d'équilibre du bassin ou redresser le bassin pendant le levage.* Cette position renforce automatiquement le dos en le redressant, empêche toute torsion de la colonne, oblige à fléchir les genoux plutôt que le dos (parce que le dos ne peut pas alors se pencher loin vers l'avant) et laisse à la cavité abdominale la possibilité de répartir également sur l'ensemble du corps l'effort nécessaire pour soulever le poids et préserver ainsi la colonne d'un effort excessif.

## Levage en position redressée du bassin

*Rappel:* la colonne a deux composantes essentielles et chacune d'elles joue un rôle différent.

- Les corps vertébraux stables et les disques situés sur la face antérieure de la colonne sont conçus pour supporter les poids et assurer la force;
- Les apophyses, situées sur la face postérieure de la colonne, permettent le mouvement et la flexibilité.

Pour un levage sans danger, il faut que l'effort soit distribué sur l'ensemble des corps vertébraux. Les disques placés entre les vertèbres agissent alors comme des amortisseurs et ainsi le poids du fardeau ne fatigue pas le dos. Cela ne se produit toutefois que lorsque le dos peut s'appuyer comme il se doit sur un bassin redressé. Si le dos est excessivement voûté, ce qui est le signe d'un mauvais maintien, l'effort déployé pour soulever un objet portera essentiellement sur les apophyses. Comme ces dernières ne sont pas conçues pour supporter un fardeau, le dos se trouve alors vulnérable à des blessures et à des tensions. Un mauvais maintien provoque aussi l'affaissement des disques ou l'assujettissement des vertèbres, il exerce également une pression excessive sur les disques et réduit d'autant les ouvertures par où les nerfs rachidiens sortent de la colonne: toutes ces conditions rendent la colonne particulièrement vulnérable lorsqu'on effectue un levage. Si le dos est bien ancré sur un bassin redressé, c'est automatiquement qu'on adoptera des techniques de levage sans danger. Vous n'aurez même pas à vous y arrêter et à y réfléchir pour les appliquer. Faites-en d'ailleurs l'expérience et vous constaterez la différence qu'il y a entre un levage effectué de la manière usuelle et un levage en position redressé du bassin.

1. Choisissez un objet pesant de 9 à 18 kilos que vous pourrez aisément manipuler et posez-le sur le plancher.
2. Tenez-vous près de l'objet, les pieds confortablement écartés.
3. Fléchissez les genoux.

4. Gardez le dos bien droit.
5. Empoignez fermement l'objet.
6. Soulevez-le.

Répétez maintenant l'opération, mais en observant les indications suivantes:

1. Redressez le bassin.
2. Fléchissez les genoux.
3. Gardez le dos bien droit.
4. Empoignez fermement l'objet.
5. Rentrez bien les muscles de l'abdomen.
6. Soulevez l'objet tout en maintenant fermement contractés les muscles de l'abdomen.

## LEVAGE EN POSITION REDRESSÉE DU BASSIN

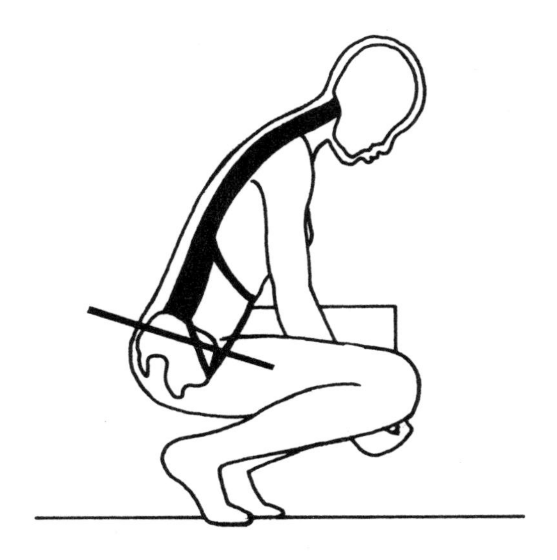

En procédant de cette façon, vous vous servez de votre dos dans la position où il peut développer sa puissance maximale. Le secret pour manutentionner en toute sécurité des marchandises, c'est de conserver un bon maintien, que vous souleviez un objet, que vous le poussiez, que vous le tiriez à vous ou que vous le transportiez. Pour exécuter de lourds travaux manuels, vous devez donc être en bonne forme physique, mais la mise en pratique de bonnes habitudes posturales facilitera tout travail et le rendra moins épuisant.

Voici un autre exemple qui prouve que le redressement du bassin protège le dos quand on soulève un objet:

1. Tenez-vous debout, les pieds écartés d'environ 25 centimètres.
2. Rentrez les muscles de l'abdomen et redressez le bassin.
3. Faites pivoter le tronc tout en maintenant le bassin redressé.
4. Observez que, pour faire pivoter le tronc à plus de 45°, il vous faut graduellement abandonner la position d'équilibre du bassin. Pour vous tourner de 90° à 180°, il vous faut totalement renoncer à redresser le bassin, en sorte qu'il se trouve alors en position de faiblesse et que la colonne s'incurve aussi graduellement.

Si vous ne vous servez pas de votre dos comme il se doit, vous oublierez facilement de «ne pas tourner le tronc pendant un levage», mais si vous maintenez le bassin en position d'équilibre, votre dos «se souviendra» pour vous de ce principe fondamental. Les muscles empêcheront alors la colonne d'entrer en action, dans une position qui l'affaiblit et la rend vulnérable.

## Le principe du sac hydraulique

Quand vous rentrez le ventre et redressez le bassin, vous en tirez automatiquement un avantage: la cavité abdominale se transforme alors en mécanisme hydraulique.

En un sens, le principe du sac hydraulique fonctionne un peu à la manière d'un lit d'eau, en distribuant également le poids dans toutes les directions et en soulageant la colonne d'un surcroît de pression qui lui serait imposé. Un lit d'eau peut supporter des charges extrêmes: un homme de 100 kilos, par exemple. Quand un homme se couche sur un lit d'eau, son poids exerce une grande force centrifuge sur le liquide et l'air contenus dans le lit. Mais parce qu'il s'agit d'un sac hermétiquement fermé, les côtés du lit d'eau opposent pour leur part une résistance égale qui vient contrecarrer l'effet du poids qu'on vient d'y poser. Le lit d'eau assure une surface stable et résistante qui absorbe en quelque sorte la contrainte et la pression qui s'exercent sur lui.

Pareillement, la cavité abdominale peut résister à une très grande pression exercée de l'extérieur, mais seulement si elle est bien secondée par les muscles, lorsqu'est assumée la position d'équilibre du bassin. Si vous vous tenez mal et que les muscles abdominaux s'en trouvent affaiblis, ils ne pourront pas déployer la force nécessaire pour soutenir efficacement la colonne. La plus grande partie de l'effort sera donc fournie directement par la colonne plutôt que d'être également répartie sur l'ensemble de la cavité abdominale.

Quand le dos est bien soutenu par un bassin redressé, l'abdomen et les muscles du tronc se contractent automatiquement. Cette contraction musculaire maintient fermement la cavité abdominale alors capable d'agir à la manière d'un lit d'eau et de répartir également, dans toutes les directions, les forces qui s'exercent sur elle. En pareil cas, plutôt que d'être affaiblie, la colonne s'en trouve renforcée et l'effort de levage mettra à l'œuvre une plus grande partie du corps. Quand le dos est maintenu dans une position saine et adéquate, la colonne n'est appelée à supporter qu'une fraction relativement minime de la charge soulevée.

Les expériences qui suivent vous montreront comment fonctionne le mécanisme du sac hydraulique:

1. Tenez-vous debout, les muscles de l'abdomen relâchés.
2. Penchez-vous vers l'avant et gardez le tronc à un angle de 45° par rapport aux jambes.
3. Maintenez cette position pendant dix secondes.
4. Vous constaterez comme votre dos se fatigue vite dans cette position.

Tentez encore la même expérience, mais cette fois empoignez un ballon de basket, de soccer ou de plage, qui servira à supporter votre dos.

1. Tenez-vous debout en tenant le ballon devant vous.
2. Fléchissez légèrement les genoux.
3. Appuyez fermement le ballon contre votre abdomen.
4. Penchez le tronc à un angle de 45° avec vos jambes, en continuant de presser le ballon contre votre abdomen.
5. Vous constaterez que vos muscles se contractent automatiquement et absorbent la tension provoquée par votre position penchée tout en réduisant la pression qui s'exerce sur le dos.

Pour soulever un poids en ayant recours à la technique du sac hydraulique, il faut que la cavité abdominale soit utilisée à cette fin de la même manière que le ballon dans la démonstration qui précède servait à répartir l'effort exigé pour garder le tronc penché et à bien soutenir le dos.

La technique de levage en position redressée du bassin ne nous vient pas tout naturellement, les premiers temps. Les muscles du dos et de l'abdomen doivent d'abord être entraînés à maintenir le bassin redressé pendant qu'on soulève un objet. Mais si vous vous efforcez, chaque fois que vous exécutez un levage, de maintenir le bassin redressé, cette technique deviendra pour vous une seconde nature, sans compter que l'endurance et la force des muscles de l'abdomen s'accroîtront ainsi grandement.

## Levages incommodes

Il est malheureusement des cas où les règles de levage sans danger ne peuvent être appliquées. Par exemple, il vous est impossible de fléchir les genoux et de vous rapprocher de l'objet quand vous devez sortir du coffre arrière de la voiture vos sacs d'épicerie ou encore lorsque vous vous penchez pour prendre dans vos bras le bébé installé dans une couchette à hauts côtés. En pareilles situations, il importe que vous vous souveniez de *stabiliser* le tronc en redressant le bassin, de sorte qu'il vous soit impossible de tourner ou même de bouger la colonne pendant qu'elle supporte un poids.

Vous remarquerez aussi que, quand vous soulevez des objets au-dessus de la tête et que votre colonne a tendance à s'arquer, il vous est impossible de garder le bassin en position d'équilibre. Voyez-y le signal qu'il vous faut vous servir d'un tabouret ou d'un escabeau pour pouvoir ainsi soulever l'objet tout en maintenant le bassin redressé et pour écarter tout danger de blessure.

Un dernier mot à propos des levages: tenez l'objet soulevé près du corps. Il existe en physique une loi qui explique en quoi cette façon de procéder réduit la fatigue et l'effort. Cette loi précise que Travail égale Force multipliée par la Distance. Plus vous tenez loin du corps un objet, plus grand est l'effort exigé des muscles. Essayez de tenir une chaise, les bras tendus. Maintenant, tenez-la près du corps et vous constaterez comme il vous en coûte moins d'effort. Prenez le temps de bien évaluer toutes les possibilités qui s'offrent à vous lorsqu'il vous faut déplacer un fardeau: le mieux-être de votre dos vaut bien ces quelques minutes de réflexion.

## GARDEZ L'OBJET PRÈS DU CORPS

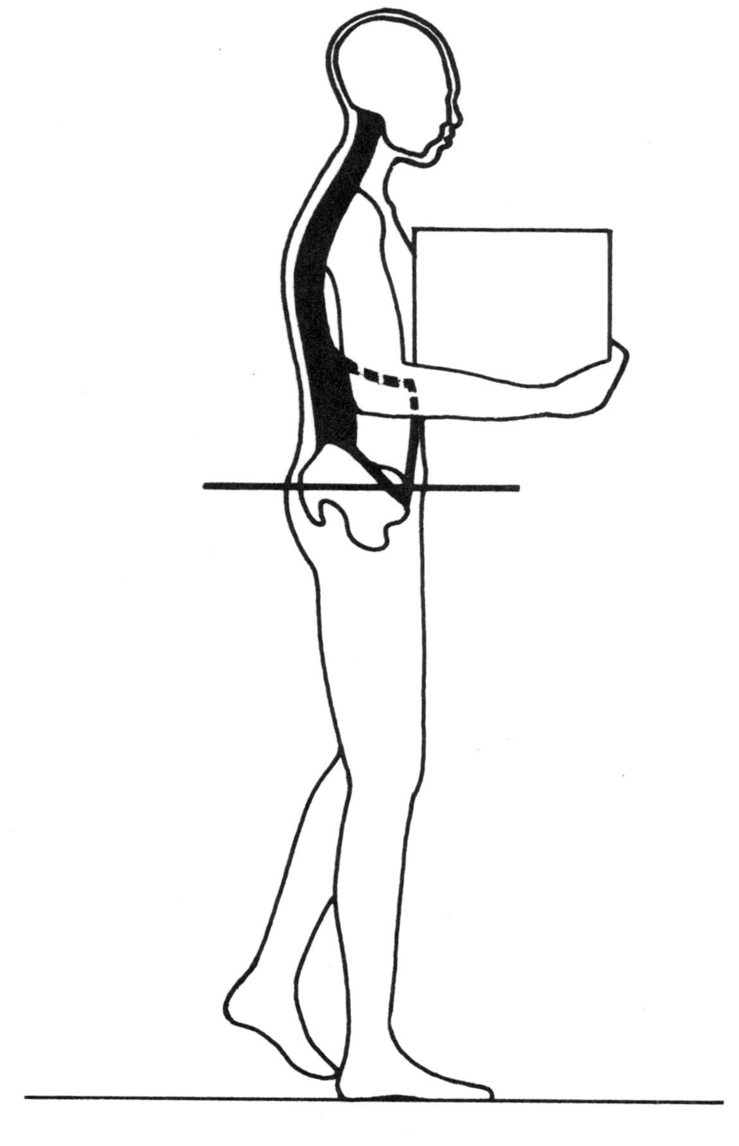

# 11

# UN DOS À LA MESURE DE VOTRE ENVIRONNEMENT

Chaque jour de notre existence, nous nous servons d'objets qui sont ou devraient être adaptés à notre corps. Les chaises, les bureaux et autres meubles peuvent avoir une influence sur notre confort, notre bien-être physique et notre productivité, selon qu'ils sont ou non adaptés à nos besoins. Nous mésestimons trop souvent le fait que les maisons que nous habitons, les bureaux et les usines où nous travaillons, les automobiles que nous conduisons — et jusqu'aux vêtements que nous portons — ont un effet subtil, mais pourtant certain, sur notre organisme. Bien que tous reconnaissent que l'être humain n'est pas aussi simple qu'une machine, cette vérité est pourtant maintes fois contredite par l'environnement artificiel qui prévaut en ce XX$^{e}$ siècle.

L'ergonomie ou la science des conditions de travail et de vie — ainsi qu'on préfère la nommer en Amérique du Nord — se consacre à l'étude des moyens pour «adapter» à l'homme le monde qu'il a pourtant lui-même transformé. Cette science a été rendue nécessaire par la révolution industrielle qui inaugura l'ère de la fabrication en série et introduisit une nouvelle réalité dans la vie des travailleurs: la domination de l'homme par la machine. Pour la première fois, les travailleurs devaient se soumettre à une énorme roue d'engrenage qui n'avait rien d'humain: ils devaient modeler leur rythme de production sur celui de la machine d'abord actionnée par l'eau, puis par la vapeur. L'ère industrielle a aussi introduit des méthodes de production moins coûteuses et plus efficaces: les chaînes de production de biens standardisés, adaptés aux besoins courants des masses populaires plutôt qu'aux besoins spécifiques des individus.

Ce n'est pas avant la Première Guerre mondiale, à un moment où la main-d'œuvre se faisait rare, que les sociologues s'intéressèrent aux conditions de travail sur les humains; mais de graves lacunes dans la connaissance de l'anatomie humaine les empêchèrent de pousser très loin leurs recherches. Les sciences humaines progressèrent très peu jusqu'à la Seconde Guerre mondiale qui stimula les hommes de science à rechercher des moyens pour tirer un meilleur parti des ressources humaines. En 1949, on créait la Société de recherches ergonomiques pour étudier les effets du travail sur l'homme. Cette société poursuivait deux objectifs principaux: améliorer les rapports entre l'homme et les machines qu'il a créées, pour obtenir une plus grande efficacité, et veiller à la santé, à la sécurité et à la satisfaction des travailleurs pendant ce processus inévitable de transformation et d'adaptation.

Le rythme accéléré du développement technologique qui a prévalu depuis la Seconde Guerre mondiale a eu pour résultat la prolifération de nouveaux types d'outillages profondément modifiés. S'ils sont conçus sans tenir compte de l'anatomie humaine, ces outillages peuvent se traduire par un surcroît de fatigue ou de tension, comme aussi par des accidents plus nombreux. On peut diviser en trois grandes catégories les objets inventés par l'homme et que nous utilisons: (1) les outils de travail, qui vont du marteau jusqu'aux appareils aussi complexes qu'un avion ou une raffinerie de pétrole; (2) l'environnement physique, qui va de la maison au lieu de travail, jusqu'aux quartiers et aux autoroutes; (3) les articles personnels, depuis les chaussures et les casques de sécurité, les lunettes et les gants de travail, jusqu'aux combinaisons des astronautes.

L'ergonomie est devenue une science nécessaire. Les vieilles querelles et les méthodes erronées d'évaluation doivent céder le pas à une véritable planification si nous voulons survivre à la vague de nouveaux appareils des technologies de pointe auxquels il nous faut chaque jour nous adapter.

## L'effet de charge statique sur votre corps

L'un des plus graves problèmes auxquels l'homme doive faire face dans son milieu de travail découle d'une réalité que l'on appelle la charge statique. Comme nous l'avons déjà appris, peu d'emplois dans notre monde moderne et industrialisé requièrent des efforts musculaires de type isotonique. Les contractions musculaires de type isométrique (d'effort sans mouvement) sont devenues la règle. Si les conditions de travail favorisent des postures du corps qui forcent à des contractions isométriques ou à un effort statique, une contraction musculaire prolongée, qui épuise inévitablement le muscle, survient alors. Un travail qui soumet le corps à une charge statique constante, pendant de longues périodes, pourra à la longue se traduire par une inflammation accrue des articulations et des gaines des tendons ainsi que par des symptômes d'arthrite.

Jetons un coup d'œil à quelques manifestations de charge statique sur différentes parties du corps:

1. Se pencher vers l'avant ou se tenir courbé pendant de longs moments provoquera un effet de charge statique sur les muscles du dos.
2. Tenir la tête penchée vers l'avant — par exemple lorsqu'on travaille à une table basse ou à un bureau — provoquera un effet de charge statique sur les muscles du cou.
3. Conduire un véhicule les bras tendus, pendant un long moment, provoquera un effet de charge statique sur les muscles des bras et des épaules.
4. Se tenir debout sur une seule jambe, tandis que l'autre pied actionne une machine, provoquera un effet de charge statique sur les muscles des jambes.

Parce que nous appartenons à une génération de sédentaires — près des trois quarts d'entre nous travaillent assis — les effets de charge statique les plus importants se font sentir lorsque nous sommes assis.

Au début de ce siècle, une conviction erronée s'imposa graduellement: on croyait en effet que le bien-être et l'efficacité seraient accrus, et en conséquence que la fatigue serait atténuée, si les gens exécutaient leurs tâches en position assise. Cette idée qui semblait aller de soi ne s'imposa toutefois que peu à peu parce que, pendant de nombreux siècles, le travail en position assise avait été considéré comme une prérogative de l'élite. En fait, il est plausible qu'à l'origine les chaises aient eu un sens symbolique, qu'elles aient signifié, par exemple, que seul le chef de la tribu avait le droit d'être porté au-dessus des têtes de ses commettants. Même aujourd'hui, les sièges peuvent souligner une différence de statut social: les cadres de compagnies, par exemple, ont des fauteuils généreusement rembourrés, très différents des chaises plus fonctionnelles réservées aux employés subalternes.

Peu importe votre statut social, la chaise sur laquelle vous passez la plus grande partie de votre vie «active» peut vous causer des maux de dos si elle oblige votre colonne à supporter la plus grande partie de votre corps. Alf Nachemson, un orthopédiste suédois, a même fait la preuve que la position assise exerce plus de contrainte sur les disques de la colonne que la position debout.

| *Position* | *Pression exercée sur les disques* |
|---|---|
| Debout, le tronc redressé | 100 |
| Couchée, le dos bien à plat | 24 |
| Assise, le tronc redressé | 140 |
| Assise, le tronc penché | 190 |

## Savez-vous ajuster votre chaise?

Des spécialistes en ergonomie affirment qu'il faut observer les règles suivantes pour mieux se détendre en position assise: le dossier de la chaise devrait être incliné vers l'arrière pour former un angle de cinq à dix degrés par rapport au siège; la hauteur du siège devrait permettre aux pieds de reposer à plat sur le sol, en sorte que les genoux se trouvent légèrement plus élevés que les hanches. Si vous pouvez glisser la main entre le siège et la face postérieure de vos jambes, c'est que la hauteur et la profondeur du siège sont adéquates. Sinon, le bord du siège exercera une pression sur vos cuisses et nuira à la circulation sanguine.

Si votre chaise de bureau ne répond pas à ces critères, même après que vous avez tenté de l'ajuster, demandez à votre patron de vous fournir une chaise qui convienne à vos besoins. Rappelez-vous que vous passez de très nombreuses heures sur cette chaise et que c'est *votre* dos qui en souffrira. Bien des gens atteints de maux de dos persistent dans leur quête d'une «chaise idéale», mais une telle chaise n'existe pas. Parce qu'il faut éviter de maintenir indéfiniment la même position, quelle qu'elle soit, la chaise qui permet la plus grande variété de positions est certainement la meilleure pour votre dos.

## Rendez plus confortable votre lieu de travail

Voici quelques moyens d'assurer plus de confort à votre dos pendant que vous travaillez. Quelques ajustements mineurs aux appareils dont vous vous servez peuvent réduire l'effet de charge statique et transformer radicalement votre journée de travail.

### Le col blanc

Les risques encourus par le col blanc comprennent, entre autres, l'effet de charge statique sur les muscles du cou, des épaules et des bras, en raison de mauvaises habitudes posturales en position assise et de longues heures passées dans cette position. Vous devriez examiner de près votre mobilier de bureau en vue de minimiser les risques de fatigue anormale et de soulager la colonne vertébrale. Bien que je vous indique ci-dessous les meilleurs correctifs, il vous faudra peut-être en certaines occasions vous résoudre à un compromis.

#### *La chaise*

Avez-vous ajusté adéquatement votre chaise selon vos besoins personnels? Le siège est-il à la hauteur requise? Est-il de la profondeur requise et supporte-t-il vos cuisses de manière à ce qu'elles se trouvent légèrement surélevées par rapport à vos hanches? La chaise assure-t-elle un bon appui au bas du dos? Est-elle munie de roulettes qui vous permettent de vous déplacer facilement?

#### *Le bureau*

Pouvez-vous vous en rapprocher suffisamment? Les bras de la chaise peuvent-ils être glissés sous la table du bureau? Votre bureau est-il d'une hauteur adéquate? (S'il est trop bas, il vous faut pencher le dos, les épaules et le cou et vous vous exposez ainsi à un effet de charge statique; s'il est trop haut, il vous faut arquer le dos et les apophyses de la colonne vertébrale s'en trouvent ainsi coincées.) Parce que la plupart des bureaux et des tables de travail ne sont pas ajustables, il vous faudra sans doute plutôt ajuster votre chaise en fonction de la hauteur de votre bureau pour vous trouver à la hauteur requise. Y a-t-il un repose-pied sous le bureau? Sinon, utilisez un gros livre ou un petit tabouret pour y poser les pieds. (Ce petit détail permettra à la colonne de se retrouver en position de détente.)

***La machine à écrire***

Assurez-vous que votre machine à écrire est posée sur une table suffisamment basse pour vous éviter de devoir tenir les bras trop haut, ce qui ne manquerait pas de provoquer un effet de charge statique.

***L'écran cathodique***

Placez-le à une hauteur convenable, de sorte que vous n'ayez pas à tenir la tête relevée, dans une position inconfortable, pour regarder l'écran; vous éviterez ainsi de vous fatiguer les yeux. Assurez-vous de pouvoir maintenir les bras à une hauteur convenable et confortable lorsque vous utilisez le clavier.

***Le téléphone***

Utilisez un porte-combiné si vous devez prendre des notes au téléphone. Évitez de maintenir en place le combiné en le coinçant sous le menton; cette façon de faire provoque des tensions inutiles dans le cou et aux épaules.

***Exercices pour le col blanc***

Changez le plus souvent possible de position. Essayez de passer fréquemment d'une tâche à une autre pour donner à votre corps la chance de bouger. Parce que les femmes ont généralement besoin de renforcer leur dos, les exercices d'élévation latérale des jambes et de redressement du tronc suggérés dans le Programme d'entretien du dos, pour garder le dos en forme, leur seront particulièrement profitables. Pour détendre les muscles des épaules qui pourraient être contractés pendant que vous vous trouvez au bureau, pratiquez les exercices de rotation des bras et d'extension latérale suggérés dans le même programme. Efforcez-vous de les exécuter avant la pause-café.

**Le chauffeur**

Les statistiques prouvent que, plus vous passez de temps au volant d'un véhicule, plus grands sont les risques de maux de dos.

Les chauffeurs de camions et d'autobus sont particulièrement vulnérables aux maux de dos en raison des tensions que leur imposent de longues heures passées derrière le volant, sans pouvoir vraiment changer de position. Grâce aux études de Nachemson, nous savons que la position assise accroît la pression qui s'exerce sur la colonne vertébrale. Il est en conséquence important que les chauffeurs s'assurent que leur siège d'automobile ou de camion soit adéquatement ajusté pour éliminer le plus possible l'effet de charge statique sur leur colonne.

*Le véhicule*

Bien des gens conduisent comme des cow-boys: ils placent leur siège trop haut et trop loin du volant et doivent ainsi conduire à bout de bras et de jambes. Cette position accroît l'effet de charge statique sur les bras et les jambes et fatigue la colonne. Voici quelques trucs pour éviter la fatigue dorsale:

1. Assurez-vous que vos genoux sont fléchis et plus élevés que les hanches. Pour cela, vous devrez peut-être rapprocher davantage votre siège du volant.
2. Votre siège devrait être légèrement incliné vers l'arrière et assez près du volant pour que vos bras soient fléchis au niveau du coude. Si vous avez des appuis-bras, utilisez-les; vous préviendrez ainsi tout effet de charge statique. En inclinant le siège, vous assurerez un support plus complet à votre dos et vous pourrez plus facilement lire les instruments du tableau de bord.
3. Si les sièges du véhicule sont trop mous, utilisez un coussin plus rigide. Des sièges mous n'invitent guère au mouvement. Changez de position et déplacez le poids du corps de temps à autre, cela vous aidera à relâcher les tensions au dos.
4. Parce que les vibrations sont préjudiciables au dos, assurez-vous que la direction, l'alignement des roues et le régulateur comme aussi les pneus, la suspension et les amortisseurs sont en bon état.
5. Chaque fois que cela vous est possible, sortez du véhicule pour vous étirer. Vous relâcherez ainsi les tensions causées par une circulation dense, de mauvaises conditions de conduite ou par l'effet de charge statique.

*Exercices pour le chauffeur*

La conduite, pendant de longues heures, chaque jour, ramollit les abdominaux et raccourcit les psoas. Les exercices de redressement du tronc et d'élévation latérale des jambes exposés dans le Programme d'entretien du dos renforceront et tonifieront les abdominaux affaissés. Il faudra porter une attention spéciale à l'extension des fléchisseurs de la hanche, ce qui devrait d'ailleurs aider à rallonger les psoas.

Pour décontracter et redonner leur pleine extension aux muscles épuisés sous l'effet de la tension, les exercices de rotation des bras, d'extension latérale et des mollets peuvent être exécutés pendant un arrêt, hors du véhicule, évidemment!

**Le cadre**

De nombreux cadres sont de véritables bourreaux de travail qui, en un sens, se sentent «euphoriques» lorsqu'ils sont soumis à de fortes tensions et se sentiraient déprimés s'ils étaient forcés de mener une vie moins trépidante. Les tensions d'origine posturale qui se manifestent par des raideurs au cou, aux épaules et aux muscles du dos et finissent souvent en un véritable mal de dos, peuvent priver l'homme d'affaires survolté des qualités auxquelles il attache le plus grand prix: l'énergie et la vitalité.

La plupart des cadres sont conscients de l'efficacité des exercices lorsqu'il s'agit de réduire les tensions, mais ils s'y prennent malheureusement de la même façon qu'ils se consacrent à leur travail, c'est-à-dire à plein régime. Parce qu'ils aiment bien se mettre à l'épreuve en se soumettant à des exercices de force et d'endurance, ils ont tendance à faire peu de cas des exercices d'extension et de décontraction, pourtant tout aussi importants. Si un mauvais maintien provoque tension et raideur musculaires, il faut exécuter des exercices d'extension et de décontraction qui dénoueront les muscles et préviendront la fatigue dorsale.

*Le bureau*

Passez en revue les conseils donnés, en ce qui concerne l'usage du mobilier de bureau sous la rubrique «Le col blanc», pour réduire toute fatigue et tout effet de charge statique, dans la mesure du possible.

*Exercices pour le cadre*

Le cadre qui se surmène devrait chaque jour exécuter tous les exercices suggérés dans le Programme d'entretien du dos. Il devrait porter une attention spéciale aux techniques respiratoires qui aident d'ailleurs à réduire la tension pendant l'exécution des exercices.

**La femme au foyer**

Ainsi que vous le dira toute femme au foyer, elle n'appartient *aucunement* à cette génération de sédentaires que nous sommes. En fait, elle reste debout presque toute la journée. Parce qu'elle est physiquement active et que ses tâches sont très variées, parfois très légères et d'autres fois très lourdes, la femme au foyer jouit généralement de muscles dorsaux très souples. Toutefois, en raison de ses longues heures de travail et de certains travaux plus lourds, la femme au foyer a fréquemment besoin d'exercices qui renforceront les muscles dorsaux et lui éviteront de souffrir de fatigue excessive.

Quand la femme au foyer éprouve un problème dorsal, il est rarement provoqué par une grossesse. La tension accrue qui s'exerce sur les muscles de son dos, dans leur effort pour faire contrepoids à la charge de l'enfant qu'elle porte en son ventre, peut causer des maux de dos. Ce type de mal de dos disparaît normalement après la naissance de l'enfant mais, à moins que ne soient exécutés certains exercices qui renforceront les muscles dorsaux étirés pendant la grossesse, une mère de famille peut se retrouver avec un dos affaibli, phénomène qui ne fera que s'aggraver après chaque grossesse.

La femme au foyer dispose de plusieurs moyens pour éviter l'effet de charge statique sur sa colonne. En voici une liste.

*La préparation des repas*

Quand vous travaillez au comptoir de la cuisine, reposez votre dos en posant un pied sur un tabouret, ce qui maintient le bassin en position redressée et repose la colonne.

*La lessive*

Lisez le chapitre consacré aux techniques de levage. La femme au foyer soulève et transporte bien souvent des objets; si elle adopte des techniques adéquates, elle pourra s'épargner des douleurs et des ennuis à la colonne vertébrale et prévenir la fatigue et les blessures au dos.

*Le repassage*

Vous pouvez prévenir la fatigue dorsale en posant un pied sur un tabouret pendant que vous repassez des vêtements. Essayez de changer de position en vous assoyant parfois pour repasser certains vêtements.

*Les travaux d'entretien ménager*

Essayez d'éviter de vous pencher lorsque ce n'est pas nécessaire, en utilisant des appareils et des ustensiles conçus pour éviter tout effet de charge statique sur la colonne vertébrale: des plumeaux et des balais à long manche, des aspirateurs verticaux plutôt que ceux de forme oblongue. Quand vous balayez et passez l'aspirateur, tenez-vous bien droit et allez-y à petits coups pour vous éviter de rester penchée inutilement pendant de longs moments. Agenouillez-vous plutôt que de vous pencher pour ramasser des jouets ou pour nettoyer la baignoire.

*Le jardinage*

Agenouillez-vous et travaillez au niveau du sol plutôt que de vous pencher. Pensez à garder le corps bien droit quand vous ratissez ou que vous tondez la pelouse.

*Les courses*

Mettez en pratique les techniques appropriées de levage quand vous devez transporter des paquets. Redressez le bassin, rentrez bien les muscles de l'abdomen et servez-vous-en comme d'un système hydraulique.

*Les soins dispensés aux enfants*

Assurez-vous que les meubles que vous utilisez pour dispenser des soins aux enfants soient d'une hauteur adéquate et répondent à vos besoins. Achetez une couchette d'enfant dont les côtés s'abaissent facilement en sorte que vous n'ayez pas à plier le corps en deux pour en retirer l'enfant. Si vous achetez un landau ou une poussette, choisissez-les de préférence légers, peu encombrants et faciles à manœuvrer. Les bretelles qui permettent à la mère de porter l'enfant sur sa poitrine et lui laissent l'usage de ses bras sont merveilleuses tant pour la mère que pour l'enfant. La berçante constitue aussi un autre bon investissement: elle permet à la mère de procurer de l'exercice à ses muscles tout en dorlotant l'enfant.

### *La grossesse*

Parce que le fœtus exerce une pression additionnelle sur la colonne vertébrale de la mère, celle-ci devrait essayer de ne pas trop engraisser pendant sa grossesse. Sur recommandation de votre médecin, vous pouvez aussi exécuter des exercices pour vous maintenir en forme et vous faciliter l'accomplissement des petites tâches quotidiennes. Dans les derniers mois de votre grossesse, laissez à votre mari le soin des tâches plus lourdes.

### *La période postnatale*

Il est consternant de constater à quel point les nouvelles mamans négligent de plus en plus les exercices postnataux qui aident pourtant à combattre la fatigue et l'état de dépression qui les affectent généralement. Des exercices de remise en condition renforceront de plus les muscles du dos et de l'abdomen qui ont été étirés pendant la grossesse et préviendront les problèmes qui pourraient normalement survenir. Les exercices de remise en forme de la ceinture pelvienne, très simples à exécuter, vous éviteront aussi de tels problèmes. Contractez tout simplement les fesses et les muscles profonds du bassin (comme si vous vous efforciez de contenir une pressante envie d'uriner), maintenez cette contraction pendant quelques secondes, puis détendez-vous.

### *Exercices pour la femme au foyer*

Si vous exécutez chaque jour les exercices du Programme d'entretien du dos, vous garderez la forme. Accordez une attention particulière aux redressements du tronc et aux élévations latérales des jambes qui renforcent les abdominaux.

## L'athlète

Les Nord-Américains, qui trop longtemps se sont contentés d'être des spectateurs, s'adonnent maintenant avec fougue à des activités sportives. De meilleurs revenus, de plus nombreuses heures de loisir et une conscience plus vive de la nécessité de l'exercice pour quiconque veut garder la forme ont transformé ce peuple, désormais pris d'un engouement pour les sports: le voilà qui fait du jogging, court, nage, fait du vélo, joue au tennis et à la courte paume ainsi qu'au foot-ball de contact.

La plupart des gens sont plus au fait des règlements propres aux différents sports d'équipe qu'ils ne le sont de leur état de santé. Ils n'ont pas encore compris que tous les sports ne développent pas également la résistance, la force musculaire et la souplesse, ces trois qualités qui définissent la vraie forme physique. En fait, certains sports provoquent même un déséquilibre physique et il faut remédier à cet effet désastreux en pratiquant en plus des exercices appropriés.

Bien que les athlètes devraient pouvoir obtenir la mention EXCELLENT aux épreuves de l'Évaluation de l'état de santé du dos, ils peuvent toutefois avoir besoin d'exercices spéciaux parce qu'ils exigent de leur corps des efforts qui excèdent de loin les possibilités d'une bonne forme physique, dans des conditions normales.

Les épreuves qui suivent permettront à l'athlète d'établir s'il jouit d'une souplesse optimale au niveau des principaux groupes de muscles. Elles lui permettront aussi de constater si le sport qu'il ou qu'elle pratique a provoqué un déséquilibre musculaire auquel il faudrait remédier en pratiquant des exercices correctifs.

## Longueur du jarret

Cette épreuve sert à évaluer la longueur du muscle de la loge postérieure de la cuisse, appelé aussi jarret; ce muscle peut être raccourci et affaibli par la pratique du jogging, de la course et de la marche.

### Position

Assoyez-vous sur le plancher, les bras derrière le dos, les mains à plat sur le sol pour maintenir le corps en équilibre. Gardez les jambes rapprochées et allongées.

### Exécution

1. Pour vérifier l'état du jarret gauche, fléchissez le genou droit et appuyez la plante du pied droit contre la face latérale du genou gauche.

2. Étendez ensuite les bras droit devant vous, parallèles à la jambe gauche.
3. Laissez la tête et le tronc s'incliner vers l'avant au-dessus de la jambe gauche jusqu'à ce qu'ils soient arrêtés dans leur mouvement par une résistance ressentie à l'arrière de la jambe gauche.
4. Procédez de la même façon, mais avec l'autre jambe et vérifiez ainsi l'état de votre jarret droit.

**Interprétation des résultats**
La plupart des enfants et des adultes doués d'une bonne flexibilité parviennent à pencher la tête vers l'avant jusqu'à toucher, ou presque, le genou. Vous devriez réussir à incliner la tête jusqu'à une distance d'environ huit centimètres du genou, si les muscles du jarret ne sont ni trop courts ni trop contractés.

**Remède suggéré**
L'exercice d'extension du jarret exposé dans le Programme d'entretien du dos.

## Longueur des muscles de l'aine

Cette épreuve sert à évaluer la longueur des muscles de l'aine qui sont situés à l'intérieur des cuisses.

**Position**
Assoyez-vous sur le plancher, les bras derrière le dos et les mains à plat sur le sol.

**Exécution**
1. Fléchissez les deux genoux et joignez les pieds par les plantes.
2. Rapprochez autant qu'il vous est possible vos pieds de vos fesses, puis laissez les genoux s'écarter l'un de l'autre pour se rapprocher du sol.

**Interprétation des résultats**
Quand des adultes doués d'une bonne flexibilité et des enfants se soumettent à cette épreuve, leurs genoux touchent presque au sol. Plusieurs fervents du jogging et des adultes affligés de muscles tendus et raides constateront que leurs genoux restent pour ainsi

dire en position verticale parce que leurs muscles de l'aine se sont raccourcis. Si un genou reste plus élevé que l'autre, c'est généralement parce qu'il a déjà été victime d'une blessure ou d'un coup.

**Remède suggéré**
L'exercice d'extension des muscles de l'aine, exposé dans le Programme d'entretien du dos.

## Longueur du mollet

Cette épreuve sert à évaluer la longueur du mollet, qui peut être raccourci chez les joggers, les coureurs et les gens qui portent constamment des talons hauts.

**Position**
Assoyez-vous sur le plancher, jambes rapprochées et allongées devant vous, les bras derrière le dos pour maintenir votre équilibre.

**Exécution**
Soulevez les pieds et appuyez-les contre un mur, puis fléchissez les chevilles pour ramener les pieds en direction du corps.

**Interprétation des résultats**
Vous devriez pouvoir fléchir les chevilles à angle de 30° ou 40°. Bien des gens découvrent lors de cette épreuve que le moindre mouvement des chevilles leur est impossible, tout spécialement s'ils se sont déjà blessés aux chevilles.

**Remède suggéré**
L'exercice d'extension du mollet, exposé dans le Programme d'entretien du dos.

## Longueur des quadriceps

Cette épreuve permet d'évaluer la longueur des quadriceps situés à l'avant de la cuisse.

**Position**
Étendez-vous par terre, à plat ventre, les jambes allongées, en ligne droite, et les bras de chaque côté du corps.

**Exécution**

1. Fléchissez le genou droit et saisissez-vous par derrière de votre cheville droite.
2. Fléchissez suffisamment la jambe gauche pour qu'elle touche les fesses.
3. Procédez ensuite avec l'autre jambe.

**Interprétation des résultats**

Vous devriez pouvoir toucher les fesses avec la jambe, sans ressentir de douleur ni d'inconfort au niveau de la face antérieure de la cuisse.

**Remède suggéré**

Cette épreuve peut être utilisée comme un exercice pour rallonger les muscles des quadriceps.

Bien qu'il soit excellent pour améliorer la résistance cardiovasculaire et qu'il soit d'une aide certaine pour éviter l'embonpoint — parce qu'il permet de brûler 1000 calories à l'heure —, le jogging peut être tout à fait contre-indiqué si votre dos est affaibli. Tout effet de choc ou de soubresaut (qui se répercute du pied au genou, puis plus haut jusqu'à la hanche et au dos) est absorbé en effet par la musculature. Si le jogging est votre sport favori pour vous garder en forme, vous feriez bien de renforcer votre dos en pratiquant les exercices suggérés dans ce livre. Vous devriez aussi porter une attention particulière aux épreuves d'évaluation du jarret et du mollet dont les muscles sont tout particulièrement mis à l'épreuve par le jogging; ils pourront se raccourcir si vous ne vous imposez pas en contrepartie des exercices d'extension.

Si vous pratiquez le ski de randonnée ou le soccer, vous devriez aussi éprouver vos jarrets et vos mollets. Les adeptes du vélo feraient bien de vérifier l'état de leurs jarrets et de leurs quadriceps qui peuvent se raidir et se raccourcir. Les joueurs de hockey devraient mettre à l'épreuve leurs jarrets et leurs muscles de l'aine. Les inconditionnels de la natation n'ont pas à s'inquiéter: ce sport est l'une des rares activités physiques parfaitement complètes et équilibrées. La natation développe l'endurance, la force et la souplesse; elle est spécialement profitable aux personnes âgées et aux handicapés parce que le corps n'a pas, en la pratiquant, à lutter contre les forces de gravité.

# 12

# TOUT CE QUE VOUS VOULIEZ SAVOIR... SUR LE DOS

## *Est-ce que les exercices soulagent les maux de dos?*

Assurément non. L'exercice est la dernière chose à faire si vous souffrez de maux de dos. Tant que le dos n'est pas remis, le repos est le seul traitement approprié. Si vous vous êtes infligé une blessure au dos, vos muscles en seront à coup sûr affaiblis après votre convalescence et c'est à ce moment-là seulement que vous devrez vous adonner à des exercices. Les exercices pour le dos renforcent les muscles affaiblis qui peuvent prédisposer un individu à la fatigue musculo-squelettique, la cause la plus courante des douleurs lombaires.

## *Suis-je trop âgé pour m'adonner à l'exercice?*

Personne n'est *jamais* trop âgé pour faire de l'exercice. Le principe moteur de la vie est évidemment le mouvement, et les exercices qui dénouent les muscles tendus et raides peuvent même inverser en un certain sens le processus de vieillissement, peu importe votre âge. Parce que le vieillissement s'accompagne de raideurs, les exercices qui favorisent la souplesse plutôt que la force seront les plus appropriés pour les gens âgés, mais ces derniers devraient aussi se rappeler qu'il leur faut s'y adonner à un rythme qui convient à leurs besoins et en choisissant des exercices qui n'excèdent pas leurs capacités.

## *Mon médecin m'a interdit les redressements du tronc. Est-ce que je peux m'y essayer tout de même sans danger?*

Les redressements du tronc exigent une grande flexibilité du dos et des abdominaux solides. Les individus qui ont subi une intervention chirurgicale pour traiter une fusion des vertèbres lombaires ou une spondylolisthésis ont sûrement été avisés par leur médecin de ne pas pratiquer cet exercice. Parce que nous avons tous besoin d'abdominaux fermes pour garder la forme, je suggère toutefois dans mon programme d'exercices différents types de redressements du tronc conçus pour éviter toute blessure à quelque individu que ce soit. Le type courant de redressement du tronc, exécuté les pieds coincés sous un meuble, ne se retrouve pas dans mon programme. Parce que les gens ont tendance à exécuter très rapidement ce type de redressement, il peut en effet causer des ennuis à un dos affaibli. En lieu et place, je recommande plutôt des redressements du tronc qui peuvent être exécutés lentement et sans danger, les pieds au sol. Cette façon de les exécuter comporte son propre mécanisme de sécurité: si les pieds quittent le sol, c'est le signe qu'il faut adopter sur-le-champ un exercice de redressement moins difficile, qui soit moins malaisé à réussir et plus approprié à la condition physique de l'individu qui le pratique. Si on vous a conseillé de ne pas exécuter de redressements du tronc, demandez à votre médecin si les redressements d'un niveau inférieur de difficulté que je propose dans mon programme pourraient vous convenir, compte tenu de votre condition.

## *L'exercice peut-il être de quelque utilité pour un patient qui a déjà subi une intervention chirurgicale?*

À mon sens, des exercices dont on augmente graduellement la difficulté et pratiqués avec l'accord du chirurgien devraient faire partie intégrante des soins post-opératoires dispensés au dos. La chirurgie exécutée pour corriger certains problèmes dorsaux peut avoir des séquelles indésirables: l'atrophie musculaire, par exemple, des raideurs et des faiblesses. Ces conséquences peuvent être atténuées par un programme d'exercices soigneusement établi qui pourra aussi d'ailleurs aider à prolonger les effets bénéfiques de la chirurgie correctrice. Si le dos est remis en forme, la nécessité d'une deuxième ou même d'une troisième opération, toujours éventuelle, pourra être écartée. En examinant de près les pronostics peu réjouissants concernant ce type d'interventions chirurgicales, vous comprendrez immédiatement pourquoi je recommande un programme d'exercices correctifs. À titre d'exemple, une étude récente produite par le Workman's Compensation Board de la province d'Ontario révèle les résultats suivants dans les cas d'une deuxième intervention chirurgicale: 20% des opérés connaissent une légère amélioration de leur sort; dans 60% des cas, l'état du malade reste stationnaire et 20% des patients souffrent par la suite de douleurs et même d'incapacités plus graves. Une autre étude menée auprès de 1015 patients atteints de maux de dos par John McKay, directeur de l'Industrial Injury Clinic de Neenah, au Wisconsin, a révélé qu'aucun des patients qui avaient subi trois opérations ou plus au dos n'était jamais retourné au travail.

### *Un programme d'exercices peut-il avoir des effets bénéfiques dans le cas d'une spondylarthrite ankylosante?*

La spondylarthrite ankylosante est une maladie caractérisée par l'inflammation des articulations de la colonne, bien qu'elle puisse s'attaquer à d'autres articulations et à d'autres parties du corps. L'inflammation provoque une raideur au niveau des articulations attaquées et, à son stade ultime, cette maladie soude pour ainsi dire la colonne vertébrale en un seul bloc et provoque ce que l'on appelle l'état de spondylarthrite ankylosante évoluée. Cette maladie choisit surtout pour cibles les jeunes hommes — généralement âgés de 20 à 30 ans — et se manifeste d'abord par des raideurs au dos, le matin, dont l'intensité diminue au fur et à mesure qu'avance la journée. Bien qu'on puisse la traiter à l'aide de révulsifs, un programme d'exercices destinés essentiellement à accroître la souplesse ne peut qu'atténuer les séquelles de cette maladie: les raideurs, la perte de force musculaire et la déviation de la colonne vertébrale. En raison des raideurs qui affligent alors la colonne, la pratique d'exercices pourra causer de l'inconfort les premiers temps, peut-être même provoquer des appréhensions et décourager le malade. Par ailleurs, un patient trop enthousiaste pourra être tenté de procéder trop rapidement. Pour toutes ces raisons, il est donc plus sage de s'entraîner sous la surveillance d'un médecin ou d'un physiothérapeute.

## *Si le repos est indiqué dans le cas de maux de dos, comment expliquer que je ressente des raideurs au dos après une nuit de sommeil?*

Dans certains cas, des raideurs au dos en début de journée peuvent être le signe d'une maladie rhumatismale en voie d'évolution, du genre de la spondylarthrite ankylosante. Toutefois, dans la plupart des cas, ce phénomène est la conséquence des attitudes posturales que vous adoptez pendant le sommeil, qui réduisent grandement les mouvements du corps. Le corps est fait pour bouger, même pendant le sommeil, et un matelas mou qui inhibe les mouvements naturels du corps pendant la nuit peut être responsable des raideurs que vous ressentez le matin. Il en va de même pour l'alcool et les somnifères qui vous assomment littéralement et réduisent grandement les mouvements naturels du corps pendant que vous dormez. Efforcez-vous d'adopter, pour dormir, les positions que j'ai décrites plus tôt dans ce livre: elles maintiendront le bassin en position d'équilibre, redresseront la colonne et permettront ainsi au dos de se détendre.

## *Les ébats sexuels peuvent-ils aggraver les douleurs au dos?*

Vous avez sans doute déjà entendu cette vieille blaque: «Le mal de dos est le meilleur contraceptif au monde!» Pourtant, plusieurs de mes patients m'ont affirmé qu'ils ne renonceraient à leur vie sexuelle, en raison de maux de dos, qu'en tout dernier recours. Et c'est magnifique! Tout être humain éprouve le besoin pressant de relations charnelles et, à moins qu'un mal de dos ne soit très grave ou qu'on ne s'en serve comme prétexte pour éviter cette forme d'intimité, la plupart des gens trouvent des solutions pour ne pas avoir à s'en priver totalement. Ils ne renoncent pas pour autant à leur vie sexuelle. Ce qu'ils modifient, ce sont leurs façons d'exprimer leurs besoins et de les satisfaire. Songez d'abord à votre confort et évitez d'adopter des positions dans lesquelles le dos se trouve excessivement arqué. N'essayez pas de jouer à l'acrobate, comme ce patient qui me disait: «Dans l'excitation du moment, je me suis accroché de toutes mes forces et j'ai tenu le coup.» Un partenaire aimant et soucieux de votre bien-être acceptera volontiers d'essayer de nouvelles positions qui assurent autant de plaisir et d'excitation.

## *Un coup de froid peut-il causer un mal de dos?*

À moins que ne s'y associent des malaises divers comme une toux, des vomissements, de la fièvre ou des sensations de brûlure quand vous urinez, un mal de dos n'est généralement pas causé par un coup de froid. Parce que la raison humaine recherche l'ordre et une cause à toute chose, les gens ne peuvent se passer d'une explication à tout désordre physique. Si vous ne décelez aucune cause apparente à un mal de dos, vous serez souvent porté à attribuer à un changement brusque de température ou à un coup de froid. Cette croyance n'a que peu de fondements scientifiques et, à titre de médecin, j'oriente généralement mon examen du patient en vue de déceler un affaiblissement ou un déséquilibre musculaire, les deux causes les plus courantes du mal de dos.

## *Devrais-je porter un corset orthopédique?*

La plupart des spécialistes s'entendent pour dire que le port du corset orthopédique, prescrit dans le cas d'un mal de dos chronique, peut grandement améliorer les fonctions dorsales et les habiletés, mais qu'il s'agit d'une mesure efficace à court terme seulement. Parce que le corset orthopédique empêche tout mouvement et supprime la flexibilité, son usage prolongé accentue les raideurs au dos et affaiblit encore la musculature qui supporte le squelette; il pourra donc aggraver le problème. J'ai aussi découvert que, pour la plupart, les gens ne portent pas leur corset assez serré pour en tirer les meilleurs bénéfices, c'est-à-dire pour mettre à l'œuvre le mécanisme du sac hydraulique, en sorte que le poids soit également réparti et que l'effort exigé de la colonne s'en trouve réduit. Toutefois, les patients se plaignent de ce qu'un ajustement trop serré du corset rende la respiration difficile et provoque de l'inconfort dû principalement à la transpiration, lorsque la température devient plus chaude. Il semble qu'il s'agisse d'une situation sans issue, où personne ne gagne sur tous les tableaux. Toutefois, si un corset médical peut vous aider à court terme, je vous recommande alors un programme de remise en forme du dos, dès que vous aurez retiré votre corset.

## *Tous, sans exception, peuvent-ils réussir à obtenir un jour la mention EXCELLENT aux différentes épreuves de l'Évaluation de l'état de santé au dos?*

Non. Il serait illusoire, par exemple, de s'attendre à ce que les gens âgés, affligés de raideurs au dos, puissent jamais obtenir une note parfaite à l'exercice de redressement du tronc. Les épreuves en question ont été conçues pour évaluer et mesurer le fonctionnement du dos, comme un moyen aussi de jauger la condition physique du dos de chaque individu. Bien que certaines personnes ne parviendront jamais à une parfaite santé dorsale, presque tous peuvent pourtant améliorer l'état de santé de leur dos. Non seulement paraîtront-ils en meilleure forme et se sentiront-ils mieux, mais ils découvriront peu à peu que leur dos supporte mieux les tensions et la fatigue quotidiennes.

## *Une cure d'amaigrissement rétablira-t-elle mon dos?*

Voilà qui ne réglera pas totalement le problème, mais qui constitue certainement un pas dans la bonne direction. Chaque fois que vous engraissez, votre dos en subit le contrecoup, tout spécialement si vous êtes affligé d'un pneu à la ceinture. La plupart des gens savent bien que l'embonpoint nuit au bon fonctionnement du cœur et des vaisseaux sanguins, mais ils ont tendance à oublier que des kilos en trop peuvent inutilement fatiguer les articulations de la partie inférieure de la colonne vertébrale. De plus, il est presque impossible à une personne, qui doit supporter constamment une masse de graisse au niveau de l'abdomen, de se tenir correctement et de soulager ainsi d'une pression constante la zone inférieure de sa colonne. Un ventre proéminent étire les muscles abdominaux, les affaiblit et fatigue d'autant les autres groupes de muscles dorsaux qui sont alors forcés de compenser pour les défaillances des abdominaux. Si vous maigrissez, vous pourrez peu à peu adopter un bon maintien. Ce qui, ajouté à des exercices qui renforceront les muscles dorsaux, constitue le passeport pour un dos en santé.

## *Votre programme d'exercices pour le dos convient-il aussi aux enfants?*

Les épreuves destinées à évaluer la condition du dos n'ont aucune valeur significative lorsqu'on les applique aux jeunes enfants, parce que leurs muscles ne parviendront pas à maturité avant qu'ils aient atteint l'adolescence. Si un jeune enfant se plaint de maux de dos — un mal plutôt inusité au cours des années qui précèdent l'adolescence — il ou elle doit être examiné par un médecin. Le Programme d'entretien du dos peut toutefois être utilisé pour compléter le développement physique des adolescents qui auraient obtenu des résultats mitigés aux épreuves de l'Évaluation de l'état de santé du dos. Les parents peuvent aider leurs enfants à développer un dos sain et fort en insistant sur l'importance des soins à apporter au dos et sur la nécessité d'un bon maintien.

## *Je ne peux pas croire que les vêtements que je porte peuvent nuire à mon dos! Pourriez-vous étayer votre affirmation?*

De nombreux jeunes gens pensent que, plus le jean qu'ils portent est ajusté, plus ils sont désirables. Ce point de vue se défend, mais je souhaiterais que les jeunes adultes portent des jeans moins ajustés, à tout le moins au travail. Un pantalon serré entrave la liberté de mouvement; il arrive même parfois qu'il empêche de fléchir normalement le genou et qu'il favorise l'adoption de techniques inappropriées pour soulever un objet. Les talons hauts provoquent aussi des maux lombaires parce qu'ils obligent à déplacer le centre de gravité du corps vers l'arrière et soumettent les fragiles apophyses à une pression et à un effort plus grands. Bien des gens qui souffrent de lombalgies chroniques portent des chaussures sans talon, ce qui oblige le corps à se porter vers l'avant et à libérer ainsi les apophyses de toute charge. Je sais pertinemment que peu de gens renoncent une fois pour toutes aux talons hauts et aux jeans ajustés, mais pourquoi ne pourraient-ils à tout le moins venir en aide à leur dos en portant des talons bas et des vêtements plus amples, au travail?

## *On m'a dit que je devrais apprendre à vivre avec mon mal de dos? N'y a-t-il vraiment aucun espoir dans mon cas?*

J'aimerais bien pouvoir assurer tous mes patients d'une existence libre de maux de dos, mais à la vérité je ne sais pas toujours si la douleur disparaîtra pour de bon. Si le mal de dos est provoqué par une maladie, il est évident que l'intensité de la douleur sera liée à l'évolution de la maladie. Les maux de dos qui sont la conséquence d'un désordre musculo-squelettique sont d'un autre ordre. Dans un tel cas, le mal de dos peut être causé par des problèmes relevant de la structure osseuse, ligamentaire ou discale, ou encore d'un spasme, de la fatigue ou d'un affaiblissement musculaire. Dans le premier cas, aucune amélioration ne peut être apportée, si ce n'est par une intervention médicale radicale, comme la chirurgie. Dans le second cas, une amélioration est possible si le malade s'astreint à un programme de remise en forme graduelle. Bien que je me refuse à promettre que toute douleur disparaîtra, je préviens mes patients que, s'ils font leur part et forcent leurs muscles dorsaux à retrouver leur pleine forme, la douleur disparaîtra et, au pis aller, leur dos leur obéira mieux, en dépit d'un certain inconfort.

## *N'est-il pas nocif de croiser les genoux en position assise?*

À cette question, je répondrai par une autre question: Pourquoi tant de gens se croisent-ils les jambes, dans cette position? Tout simplement parce qu'ils se sentent ainsi plus confortables. Poser un genou plus haut que les hanches repose le dos et le soulage d'une certaine pression. C'est un moyen naturel de détendre le dos de temps à autre pendant la journée. À une exception près toutefois: les gens qui souffrent de varices et à qui leur médecin a formellement déconseillé de croiser les jambes, lorsqu'ils sont assis.

## *Au travail, je dois rester longtemps penché vers l'avant et mon dos s'en ressent. Avez-vous quelques conseils à me prodiguer?*

Il existe de nombreux moyens d'atténuer la fatigue. Fléchissez légèrement les genoux. Appuyez-vous sur un bras pour supporter le poids du tronc. Posez le pied sur un objet quelconque, un petit tabouret, par exemple; ainsi le bassin se retrouvera automatiquement en position d'équilibre. Mettez en pratique le principe du sac hydraulique et rentrez les abdominaux. Changez fréquemment de position.

# INDEX

Montmagny, Qc
novembre 1993